墨点字帖

张猛龙碑 张黑女墓志

余中元教你学书法

名师精讲教程

魏碑

余中元/编写

长江出版传媒
湖北美术出版社

图书在版编目（CIP）数据

张猛龙碑　张黑女墓志 / 余中元编写 .—武汉 ：湖北美术出版社，2013. 12（2023.1 重印）
（余中元教你学书法）
ISBN 978-7-5394-6621-7

Ⅰ. ①张… Ⅱ. ①余… Ⅲ. ①楷书—碑帖—中国—北魏
Ⅳ. ① J292. 23

中国版本图书馆 CIP 数据核字（2013）第 297612 号

责任编辑：肖志娅
责任校对：杨晓丹
策划编辑：墨点字帖
封面设计：墨点字帖

张猛龙碑　张黑女墓志
ZHANG MENGLONG BEI　ZHANG HEINÜ MUZHI

出版发行：长江出版传媒　湖北美术出版社
地　　址：武汉市洪山区雄楚大道 268 号 B 座
邮　　编：430070
电　　话：（027）87391256　　87679564
印　　刷：武汉新鸿业印务有限公司
开　　本：889mm×1194mm　1/16
印　　张：5
版　　次：2014 年 5 月第 1 版
印　　次：2023 年 1 月第 6 次印刷
定　　价：25.00 元

前　言

余中元，中国书法家协会会员，中国硬笔书法家协会会员，中国钢笔书法大赛评委，江苏省徐州市书法家协会教育委员会委员。1985年学书，精研历代名帖二十余年，至今从事书法教育十三年，书法软硬笔兼擅，取法宽广，风格多变，擅长同时创作风格跨度极大的作品。早年主要致力于硬笔书法，近几年侧重于毛笔书法，各体兼擅。其书法作品广泛展示于各专业报刊杂志、辞书及网络，被数十家艺术机构、博物馆等单位及海内外藏家收藏。在教学中也取得了丰硕的成果，有多位学生考入中国美术学院及国内顶尖专业学府。

书法是我国具有悠久历史的传统艺术，在世界上具有广泛而深远的影响。书法艺术包括“形、神”两方面。“形”的美主要运用点线、结构、疏密、轻重、行笔的缓急组成形象的“字形”，以这形式的美、力度的美、结构的美唤起人们的情趣和美感。“神”的美，指的是线条组合后总体的外貌。书家以唯物的、运动着的气势和本能，勃发着热爱生活的审美理想。“壮则雄健以嵑嶫，丽则绮靡以清遒。”这就是书法“神”美的应有体现。

古人说，情之喜、怒、哀、乐各有分数，体现在书者的广阔胸怀中就是：喜则气和而字舒；怒则气愤而字险；哀则气郁而字敛；乐则气平而字丽。我国书法艺术“形神”兼备，气势生动！正是这种美，体现了中国书法艺术的价值已被世界所接受和重视。

为传承中华艺术瑰宝，同时也为提升书法爱好者自身的修养，作者倾心编写了本套《名家讲授——经典碑帖技法教程》。本套书共5本，包括《汉隶·＜曹全碑＞入门》、《魏碑·＜张猛龙碑＞＜张黑女墓志＞入门》、《唐楷·欧阳询＜九成宫醴泉铭＞技法精讲》、《唐楷·褚遂良＜雁塔圣教序＞技法精讲》、《行书·怀仁＜集王羲之圣教序＞技法精讲》，前两本适合初学者入门使用，后三本供有一定书法功底的爱好者进一步提升书法水平使用。

本套书作者选用的均是经典名碑，最大限度地还原了原碑的真实性，并配以精炼独到的技法详解，真正为毛笔书法教学及毛笔书法爱好者提供了一套科学、简单、快速有效的课本。循序渐进、由浅入深地进行学习，定能获益良多。

在本套书的编写过程中，作者废寝忘食、呕心沥血，数次累倒入院治疗，花费了大量的精力；编辑环节的每位同志在此套书上更是细致入微，精益求精，力求使它臻于完美与精妙。但编辑过程中的疏漏之处依然难免，希望大家在使用过程中提出宝贵意见。

目录

关于魏碑

北魏《张猛龙碑》

第一章 《张猛龙碑》基本笔画

第二章 《张猛龙碑》部分常用偏旁部首

第三章 《张猛龙碑》结构特点简析

附：张猛龙原拓（节选）

北魏《张黑女墓志》

第一章 《张黑女墓志》的笔画

第二章 《张黑女墓志》的结构

附：张黑女原拓

关于魏碑

一、什么是魏碑？

学过中国历史的人都知道，三国之后的西晋统治时间不长即被迫东迁，偏居一隅，是为东晋。之后，刘宋灭东晋，随之宋齐梁陈先后更替，这五代史称南朝。与之南北对峙的是北魏、东魏、西魏、北齐、北周，这五代史称北朝。南朝书法是以手札、尺牍、墨迹为主，尤以王羲之、王献之为代表；而北朝书法以碑刻为主，又以北魏时期为鼎盛，所以，这一时期的书法统称魏碑，也称北碑，在中国书法史上占有极其重要的地位。魏碑据其功用和载体，分为墓志、碑碣、造像记、摩崖四种，而且又各具风格，均有各自明显的特征：墓志书法中的字一般较小，俊秀精致，与南朝的书法较接近；碑碣端庄稳健；造像记雄强茂密；摩崖石刻大气磅礴，奇逸多姿。总的说来，魏碑与南朝的小楷，以及后来的唐朝楷书相比，应是未成熟的楷书，很多地方还未脱去隶书古意，其技法也相对粗糙和不成熟。然而，正是这种粗犷质朴、天姿纵逸，使魏碑成为书法史上的一枝奇葩。

二、魏碑的代表作

(1)墓志：墓志是置于墓穴，介绍墓主人生平，为其歌功颂德的铭文，也称墓志铭，是死者向天堂报到的"名片"。墓志铭有几个特点：1.由于空间所限，多为较小的方形石块，字也相对较小；2.墓主多为有地位的人，其书写作者和刻工多为技艺精良者，故其一般都字法精致、刻工纯妙，与技法精湛的南朝书法最为接近；3.数量极多，其风格样式也极多，且新出土的越来越多，故可学的范本资料丰富；4.因墓志石刻埋入墓穴中，保存完好，字迹都很清楚，学习起来极方便。常见的墓志书法有：《张黑女墓志》、《元倪墓志》、《元怀墓志》、《崔敬邕墓志》、《刁遵墓志》、《石夫人墓志》、

《司马悦墓志》、《元珍墓志》等，其中尤以《张黑女墓志》最为著名。

(2)碑碣：碑碣是置于外面的，其用途较广，面貌差异也相对较大，初时数量也应该极多，但因年代久远，留存至今的不多，且多数剥蚀严重。代表作有《张猛龙碑》、《嵩高灵庙碑》、《爨龙颜碑》、《品望碑》、《魏太武帝东巡碑》等，尤以《张猛龙碑》为最。

(3)造像记：造像记是南北朝佛教盛行的产物，是刻于佛像旁的。其用笔粗而方，厚而拙，如刀劈斧砍，结体雄强而茂密，方整中见灵动，具有强烈的风格特征，与其他时期书法风貌迥异，应为魏碑书风的代表，其代表作应为《龙门二十品》，其中又以《始平公造像记》、《魏灵藏造像记》、《孙秋生造像记》、《杨大眼造像记》四品为极品。

(4)摩崖：摩崖是刻在山崖上的，一般字都较大，与巍峨的山峰浑然一体，其书法多开张、奇逸，不计工拙而又自然天成，气势恢宏而又端庄肃穆。代表作有《石门铭》、《郑文公上下碑》、《泰山经石峪》、《论经书诗》等，其中尤以《石门铭》为最，谓其巧夺天工、奇逸萧散、犹若仙人之作。

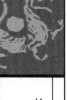

三、学习魏碑的意义

在中国书法史上，魏碑以其独特魅力雄踞一时，对唐楷形成起了极为重要作用。可以简单地说，唐楷是南朝的小楷加上北朝的魏碑才演变成现在的模样。从隋代的《龙藏寺》、《董美人墓志》，到唐初的欧阳询《九成宫醴泉铭》就足以证明这一点。但是，初唐以后，魏碑似乎被人们遗忘了，而楷书至盛唐以后几乎没有真正意义上的发展，到了清初已颓废到无路可走的地步了。然而，康有为以其睿智的眼光发现只有魏碑才能拯救了无生气的帖学书法，其后又有很多响应者和追随者。中国书法随之在北碑的笼罩下焕然一新，至当代更是有很多有识之士提出碑帖结合才是书法今后的发展方向，这似乎也成为当今书法的共识。可以说，魏碑的学习在我们的书法学习中具有极其重要的意义。

如果从具体的书法学习路子上讲，魏碑具有其独特的作用。笔者根据二十多年学习、教学经验述其一二：

(1)魏碑风格多雄强大气，有一定魏碑基础，写字就不会犯绵弱、拘谨、小气的毛病。

(2)魏碑用笔不似唐楷严谨，也不如小楷精致。技术难度相对小多了，对于初学者而言入门相当容易，能在较短时间内窥知楷书一二。更重要的是：楷书中最关键的技法都能从魏碑中学到，在练基本功上的作用是相似的。

(3)正是由于魏碑具有入门相对较容易、可以让初学者能很快建立起信心的特点，所以，学习魏碑是相当重要的。

(4)魏碑从其所处历史时期以及技法特征来看，具有承前启后、承上启下的作用，上可探汉碑隶书，下可承启法度严谨的唐楷，能起到事半功倍的学书效果。

（5）魏碑书法不论从作品数量，形制面貌，还是用笔、结体的技法，以及精神内涵，都是极为丰富的，是其他任何书体不能比的。这种丰富能带给我们强烈的视觉感受，锻炼我们对书法的敏感，也给了我们极为广阔的技法空间和审美空间，可以克服仅学唐楷的单一和死板。的确，近当代书坛上，从魏碑上受益而成大家者实在太多了。

当然，作为初学者，可能更容易接受俊美、规范的唐楷，因为我们对汉字的审美从一开始就是标准、整齐、漂亮、但死板的宋体印刷体，是先入为主，而印刷体和唐楷相对接近。但是，当你真正坐下来写上两笔魏碑字时，不论你写得像还是不像，你都会被魏碑那种特有的美所吸引。以后，当我们再进行严格的唐楷技法训练时，你会更客观而清醒，因为，你的审美水平已不一般了，已有更纯粹更客观的书法审美了。

我们这里所选编的《张猛龙碑》和《张黑女墓志》，是魏碑中极具代表意义的名碑极品。《张猛龙碑》雄强刚劲，是方笔的代表。《张黑女墓志》阴柔秀美，是魏碑中方圆兼备的代表。写好这两个碑，其更大的意义是我们会获得很多重要的技巧和审美感受，将之泛化到其他碑和帖的学习中，会受益无穷。

北魏《张猛龙碑》

《张猛龙碑》全称《鲁郡太守张府君清颂碑》，此碑立于山东曲阜孔庙至今，刻于北魏正光三年（公元522年）。碑正面24行，每行46字，碑阴面题名12列。

《张猛龙碑》是魏碑中的神品，其精神外耀，风格独具，常常作为学碑者的首选。康有为评此碑为正体变态之宗，真可谓“寓变化于整齐之中，藏奇崛于方正之内”。

《张猛龙碑》用笔整体基调是“方”，而“方”正是魏碑的基调。《张猛龙碑》的“方”极为劲力，如金戈铁马，森然峭拔，与《始平公造像》的粗方有极大的区别。我们联系一下之后的《董美人墓志》，再以后的欧阳询《九成宫醴泉铭》，可看出《张猛龙碑》这种方笔的深远影响。结体上，中宫紧结，重心左低右高，取势险峻而开张，借让巧妙，正侧相生，端庄严整，其技巧含金量之高，堪称学书之经典。限于篇幅，以及本丛书的性质，本书只对《张猛龙碑》作简单的讲解，起到一个引路的作用，待有一定功底后大家再深入分析学习。在分析过程中，由于《张猛龙碑》的笔画结体变化丰富，只能总结一些相对的规律和方法。

另外须说明的是，在笔画的讲解中是按传统的八类基本笔画来讲的，看《张猛龙碑》的横画上斜之势很强，且多为前重后轻，与挑画常常区别不大，如用唐楷的规范去分析意义不大，故省略不讲。

第一章 《张猛龙碑》基本笔画

第1课 基本笔画——横

技法详解：

一、横在字中出现最多，所以写好横最为关键。在横画中，起笔方法又是一个关键。《张猛龙碑》横的变化较多，但我们能找到一个最基本的、最常用的起笔方法，如"三"、"王"、"五"等字中，横多为侧锋切笔转中锋之法，此方法实际也是魏楷中代表写法。以"三"字底横为例，其写法如下：

1.露锋入笔；

1-2.向右下侧锋切下，这里所说的"切"是要求笔锋铺下干净利索，其左侧边廓清晰笔直，笔锋的发力点落纸后即果断向右转移，如笔杆略倾向左边则更方便。

3.笔肚向右上侧转，（主要是笔肚子转），并有一定程度提锋，使笔锋从侧锋状态调整到中锋状态，横画前端的轮廓随之而出，须方劲有力！这一步骤是技法的关键，转笔动作是难点。如能配合手指的捻管动作就容易了，须反复多练才行。

4.中间大段是中锋行笔，须稳健果断，笔毫杀入纸中，力透纸背，在此基础上，《张猛龙碑》的横多有由重到轻之形，且多笔直，似一把利剑向右上凌空刺出，这是本碑极有特点的部分！

5.至尾部笔锋渐提。

6.笔锋提起时同时向右下侧收，至右下角也可用笔尖略回锋。

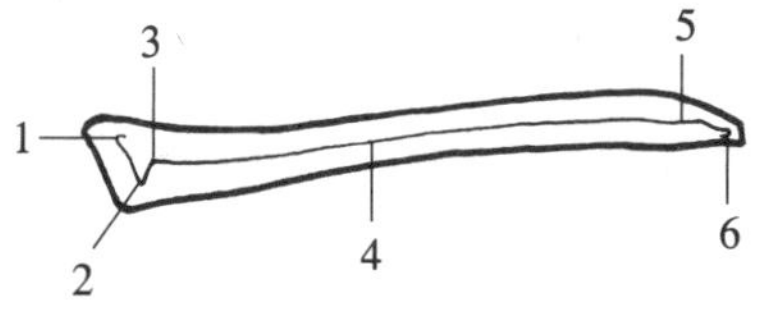

二、写好上面一横，其他横就好写了，只须在入纸侧锋切笔时的角度及力度上稍作变化，在转笔提锋时幅度略作调整即可写出各种不同形态，至于收尾也是大同小异。

三、虽然大部分的横主要写法是一样，但有些笔画的写法差异还是很大的，如"三"字，上横向上弧度较大，下横向下弧度也大，收笔时，上横笔锋渐提后收向左上角，下横则收向右下角，中横也收笔向左上角。其笔意是不同的。

四、在此基础上，也有一定数量的横起收笔形态不合"常法"，如"七"、"不"、"二"、"平"等；"七"中横为逆锋入纸，然后向左下切笔。再翻笔并略提锋向右调整为中锋；而"不"字起笔先向右横向轻落再折向右下侧切笔；"二"底横收笔是笔锋先向右上提起然后突然折笔向右下侧落，笔锋渐提至右下角收起。"平"的下横起笔是先逆锋落纸、再向左下轻落，然后突然折笔向右下（不用切笔），再翻笔提锋，此笔画有圆笔效果。当然，有些笔画的效果是长期剥蚀后变形的不真实形态，不必生硬模仿。

五、《张猛龙碑》中多数横画向右上倾斜很厉害，使字形呈明显的左低右高之势，这是《张猛龙碑》字形险峻、峭拔的重要原因。

二
王
其
三
五
方

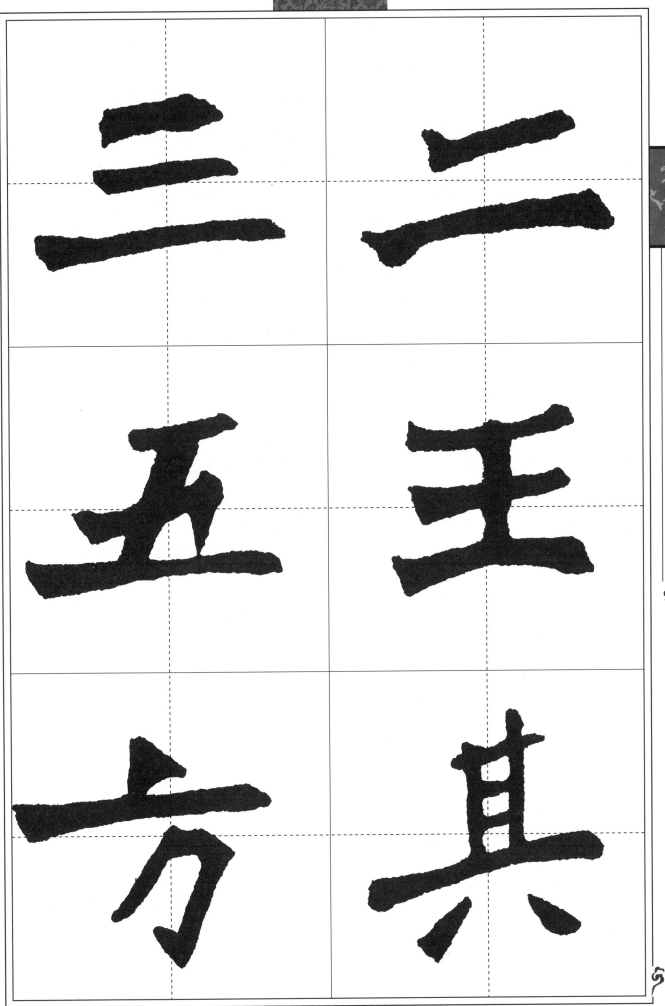

第2课　基本笔画——竖

技法详解：

一、有了横的运笔基础，竖就好写多了，其关键地方还是起笔的侧锋切笔以及侧转中的过程。在竖画中，除侧切外大量的起笔是横切，侧切的运笔过程原理和横画基本一样，此处以“坤”中的竖为例，其写法如下：

1.起笔笔尖作逆式，即笔尖略作横向的藏锋动作，不致落笔处露锋太尖（但也有落笔露锋的）。
2.笔锋向右横向切下，使上部边廓平直，笔毫落下后即迅速将发力点从笔毫中间转向笔毫上端。
3.此时笔毫相对整个笔画为偏锋状态，以偏锋状态向下方运笔，然后同时在极短时间内将偏锋调整为侧锋，再调整为中锋（这个过程也可称为截铁法），这时，笔肚有略下的旋的动作，可辅以手指捻动笔杆。同时，笔锋略提起。
4.中锋行笔，力求笔锋凝练有力，并从上到下笔毫渐提，由重到轻。
5.至尾部向右侧略弯（此处无代表性，只是这个字中的变化），并且笔毫重新渐按。
6-7.笔锋向右上提起收笔。

注： 2-3中运笔环节是一个关键，有些书家不是用笔肚旋动并捻管来完成侧锋转中锋或偏锋转中锋，而是用翻笔法，我认为这两种方法都是可以的。但翻笔法对基本功要求很高，且翻过来后，笔锋易散，对初学者来说难度很大。当然，此处所介绍方法也须反复操练，多体会才能很好地完成。

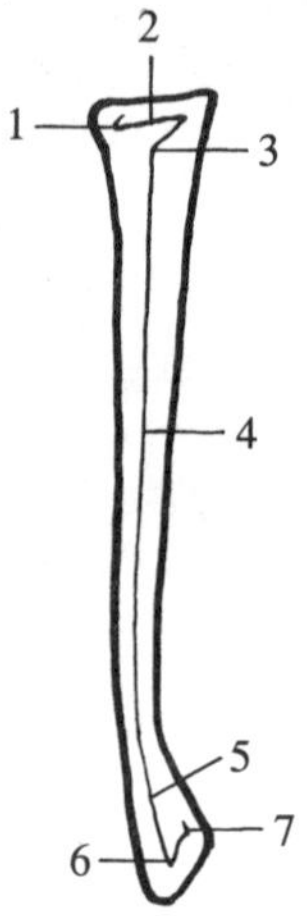

二、其他字中的竖略有不同。“十”的竖起笔逆锋明显，然后是侧下切笔，整个笔画是由粗到细的悬针之法，收笔回锋。“去”中的竖起笔侧下幅度很大，左上露角极夸张，整个笔画粗壮。“中”的竖犹如一把锋利的短剑，起笔也很夸张，收笔出锋。“上”中的竖起笔不用切笔，露锋横向落纸后，即自然捻管转向下方。

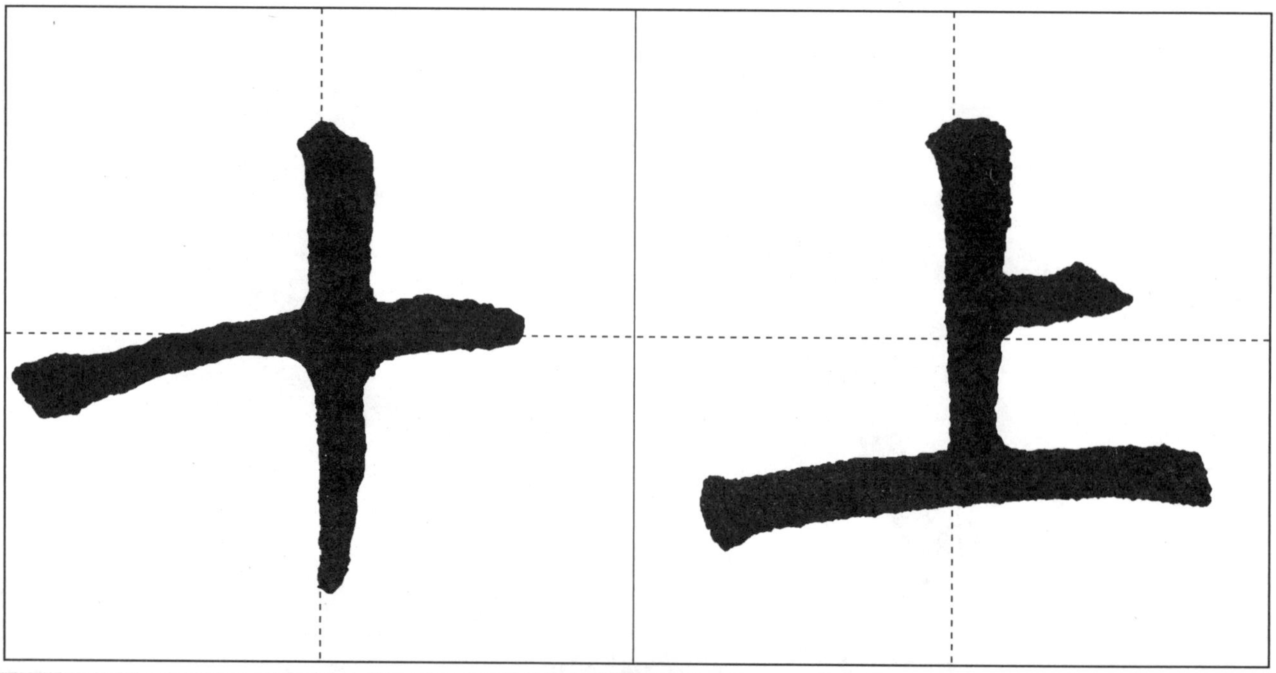

去
出
耳
中
山
坤

第3课　基本笔画——撇

技法详解：

一、经过前面的横竖练习，对于撇来说，起收笔上应该不会有很大的技术难度了。换言之，多数撇画的起笔动作可以在横画的起笔写法中找到借鉴，甚至几乎是一样的，如“大”中竖撇的起笔。

二、《张猛龙碑》中的撇大致可分为三类：1.由重到轻，收笔出锋，如“人”、“才”、“不”等，此类撇较普遍，也较简单，可称之为“直撇”。2.前段为由重到轻，至笔画中间又变成由轻到重，很快又由重到轻，收笔出锋，如“以”、“備”等。此类撇也很多，是《张猛龙碑》特有写法，难度稍大，可称之为“腰细撇”。3.起笔较轻，然后是由轻到重，再由重到轻，出锋收笔，其中部粗，两头细。如“死”中长撇。由细至最粗处突然向左方折笔，再由重到轻，写出一个撇脚来，如“入”。此类撇画较少，可称之为“柳叶撇”或“拐脚撇”。

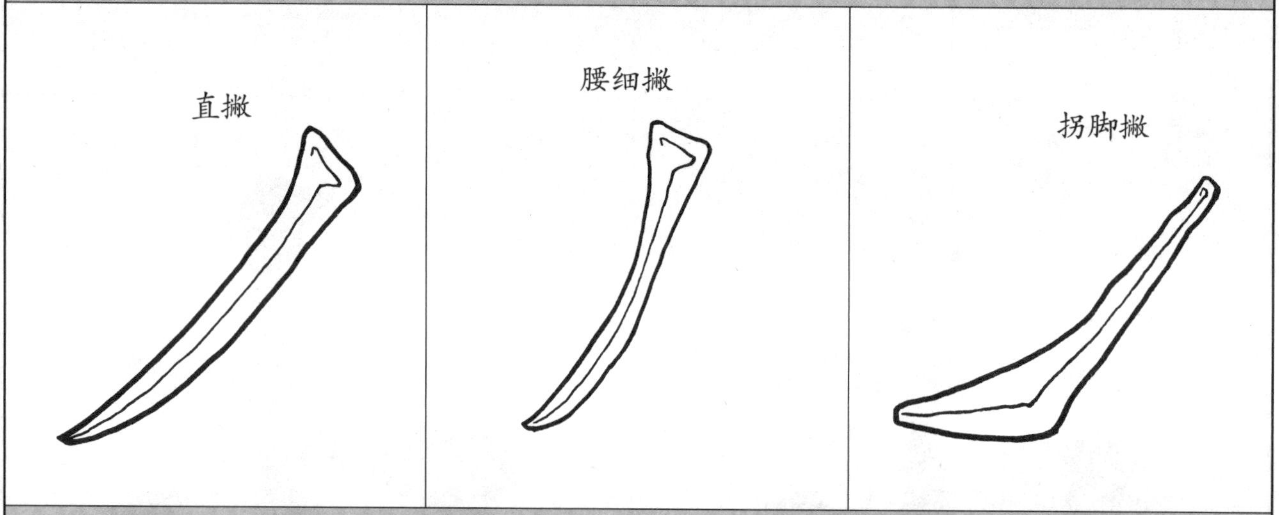

三、《张猛龙碑》中撇画的倾斜角度无统一模式，多是因字而斜，临写时仔细体会撇画与其他笔画之间的配合。

四、《张猛龙碑》中撇画相对较长，而且都很直，向左伸展较多，这是《张猛龙碑》的特点之一，后面结构中还会讲到，临写时仔细把握撇画的这种强势。

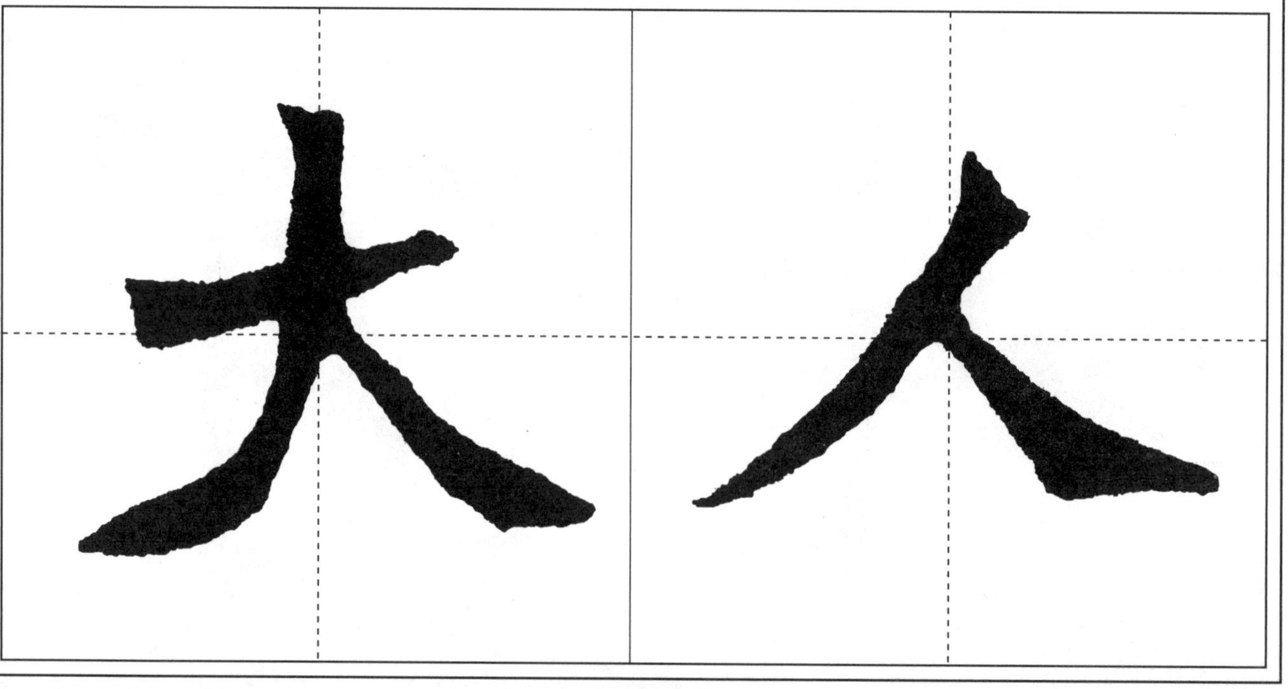

不
備
入

才
以
亢

第4课　基本笔画——捺

技法详解：

一、《张猛龙碑》中捺画形态变化不是特别大，根据其收尾捺脚部分的不同，可分为平脚捺和矛头捺两种，平脚捺如“交”、“今”、“孤”、“葵”，矛头捺如“泉”、“改”、“太”、“是”。下面以“交”和“泉”中的捺分述之。

平脚捺	1.以笔尖逆锋起笔，并以笔尖部分稍作切笔动作。 1-2.转笔向右下，中锋行笔，此段较细且轻重变化较少。 2-3.中锋行笔并且由轻到重明显。 3-4.笔肚突然向右上略折，同时笔毫向正右方逐步收起，并使底部平直。 4.出锋收笔。	矛头捺	1-3.此部分与平脚捺大同小异。 3-4.此处与平脚捺差异明显，具体方法是：笔毫行至此处后，稍作停顿，然后向右上稍翻，使笔毫运行方向改变，接近正右方，并顺势调整为中锋状态，再提锋收笔。此法翻笔是关键，其分寸不太好掌握，须多练。

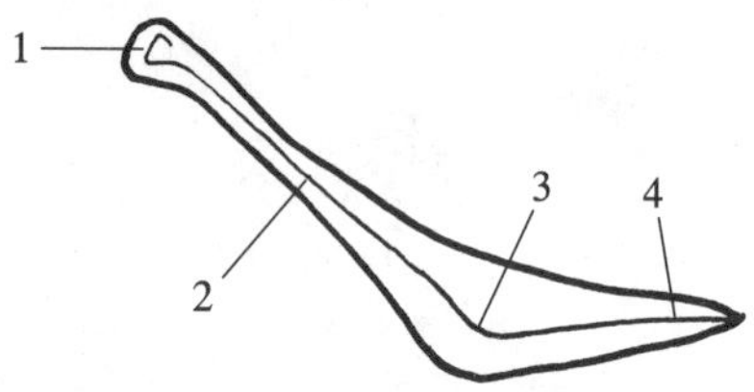

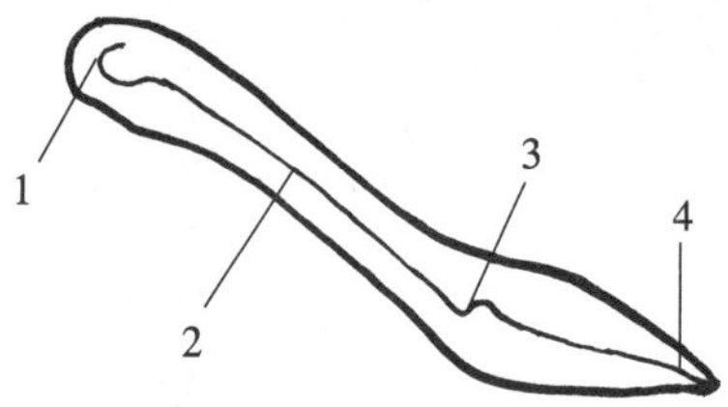

二、在这两个捺画中，平脚捺与其他碑帖中的捺画写法相同，但在《张猛龙碑》中并不多，如“人”、“入”中是此写法。矛头捺在其他碑帖中不多见，但在《张猛龙碑》中为主要写法。

三、在多数楷书碑帖中，捺画都很强势，一般较粗长，但在《张猛龙碑》中却相对较弱。这也是此碑的又一大特点，可将碑中有捺的字挑出来临写，仔细体会。

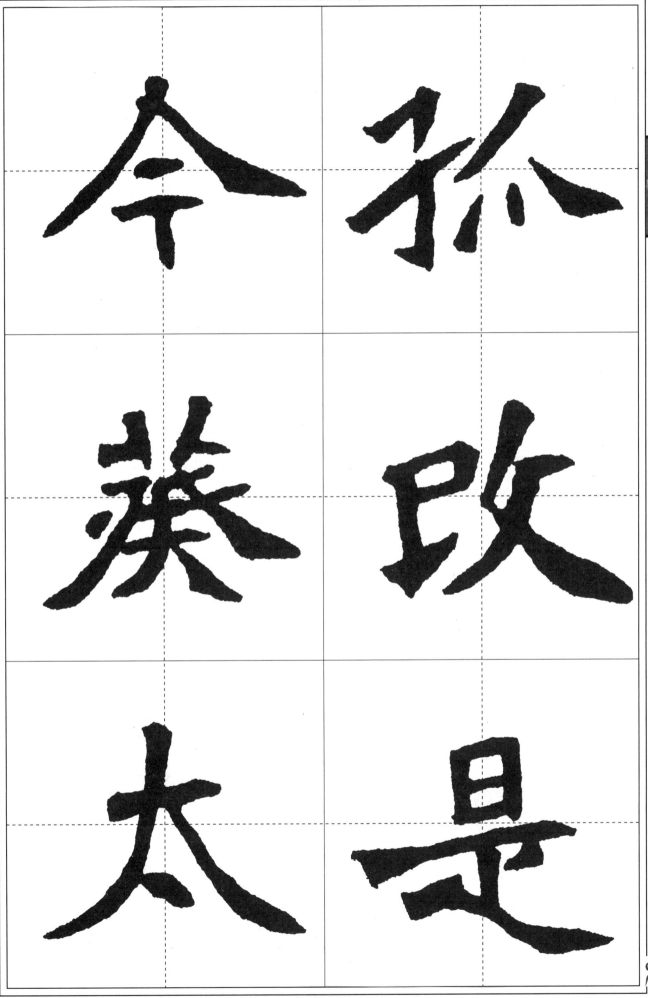

孙 改 是

令 族 太

第5课　基本笔画——横折

技法详解：

一、《张猛龙碑》中的横折多方硬、粗大，效果强烈，犹如人的关节非常粗大、突出一样。这也是《张猛龙碑》风格方峻、瘦硬的主要原因之一。

二、《张猛龙碑》中的横折大致可分为三类：第一类为典型的方折，如“加”“月”等。第二类为外方内圆的折，如“日”“白”等。第三类为柔和的圆折，如“首”“篇”等。第一类碑中出现得最多，这也是其他名碑用得最多的一种折法。第二类《张猛龙碑》中出现很多，也是《张猛龙碑》代表性用笔之一，难度也很大。第三类相对少些，也较简单。此处以“加”中的折，及“日”中的折来分析其写法：

方折	1.完成短横（详细技法如前所述，下同）； 2.笔毫向右上提起至一定程度； 3.向右下果断按下笔毫，其幅度、斜度和力度是整个笔画效果的关键； 4.折笔向左下，同时笔毫略提起； 5.再折笔向下方（略斜），使上部形成一个明显圭角； 6.完成短竖。 **注：**1.折笔就是突然改变运笔方向；2.很多笔画在运笔时，只有4或5步骤，没有右上突出的圭角；3.此笔画也可以在完成短横后，笔尖完全提起，再重新落笔完成竖，即将此笔画看作一个横加上一个竖，其转角处的圭角即是竖的起笔动作，这样写，技术难度马上就减少好多，但为了气息的连贯，还应一笔完成。	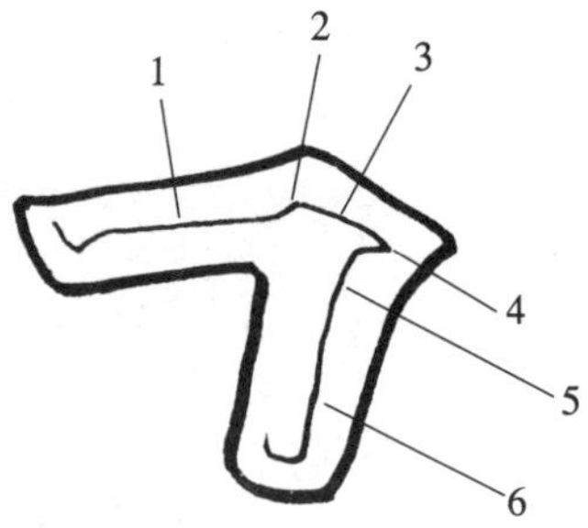
外方内圆	1.完成短横； 2.向右下转笔（与折笔相对）； 3.至此处笔尖部分稍停，仅笔肚部分突然向左下方内旋，同时笔毫略提起； 3-4.继续完成转笔动作； 5.完成短竖。 **注：**第3步骤是关键，难度很大，对控制笔毫的能力要求很高，勤练勤思考就能解决。	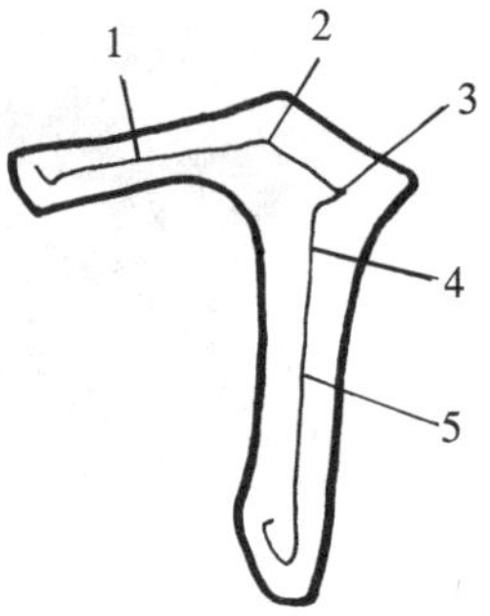

白篇晋

日首勿

第6课　基本笔画——钩

技法详解：

一、横钩技法与横方折基本相同，只是在最后一步中的短竖改为短促的由重到轻出锋收笔即可。也可以看做是一横加上一个短撇，分作两笔完成，如“守”、“當”等。

二、竖钩是在技法上有一定难度的笔画，而《张猛龙碑》中的竖钩动作很大，效果强烈，所谓铁画银钩，不容忽视，如“小”“刊”等。以“小”中的竖钩为例，其写法分解如下图。

三、有了竖钩和横钩的基础，再写卧钩就比较容易了，因为这些笔画的技法核心就在钩角处，其运笔原理基本一样，其具体写法可参见《张黑女墓志》部分卧钩写法。

四、竖弯钩的钩法与前三种钩也基本相同，此不再重复，但需要注意竖弯钩的前半部分有两种情况，一种如“也”中的钩，竖向右斜，横部很长；另一种如“光”中的钩竖向左斜，其效果差异很大。另外要注意，竖弯处要圆顺，钩之前略铺毫。

五、《张猛龙碑》中斜钩直硬，但钩处不如竖钩劲利，形状相对含蓄，如“成”等，其写法分解如下图。

竖钩	1.完成竖画； 2.至底部笔毫向上方（或偏左）果断顶起，笔肚稍起，笔尖不动； 2-3.在上一动作的基础上顺势翻向左上（有些笔画是向左方）并渐渐提锋，此动作须肯定果断一气呵成，否则笔画就“软”“肿”； 4.出锋收笔。	**斜钩**	1.完成长斜线（起笔动作同竖）至尾部稍顿并向右略弯，注意倾斜角度准确； 2.笔肚略向右上顶起（要果断）； 2-3.笔毫在上一动作基础上顺势翻向右上并渐渐提锋； 4.出锋收笔。

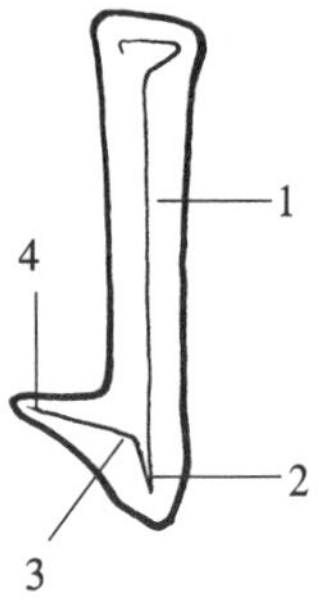

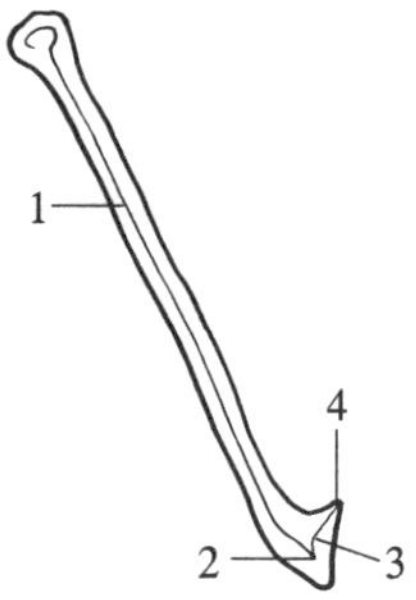

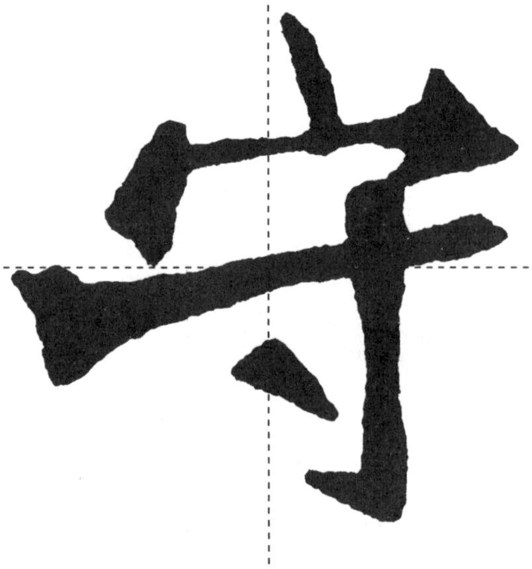

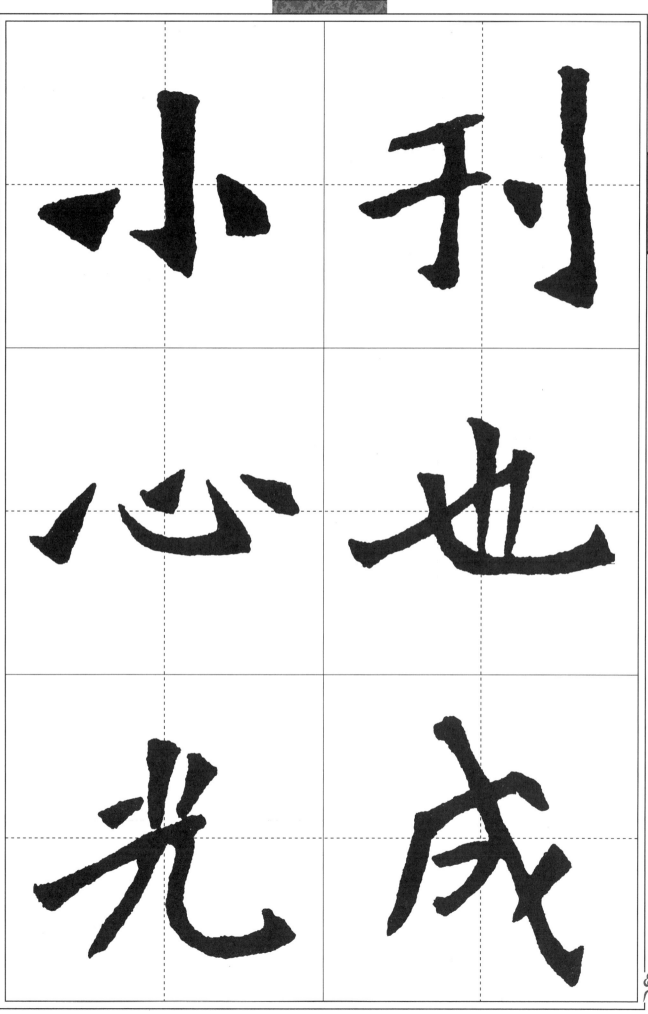

小 利

心 也

光 成

第7课　基本笔画——点

技法详解:

一、从理论上讲,点是横、竖、撇、捺、挑等笔画的浓缩。从另一角度来说,横、竖、撇、捺的起、收笔部分就是点,是这些笔画效果好坏的关键,所以多练点,能提高这些笔画的质量。

二、点以其活泼多变,使一个字往往变得有生命力。《张猛龙碑》笔画以直线为主,少曲线,点的调节作用更明显,如“深”、“志”、“源”等字,其中的点顾盼生姿,各具情态。

三、《张猛龙碑》中的点以三角形为多,这也是魏碑中常用的点,其技法与横、竖、撇的技法大同小异,主要用切笔侧转之法。以“未”字中左点为例,其写法为:起笔从左上到右下侧锋切下,要干净果断,发力点应在笔毫的下侧(即朝向笔毫左下的那一侧),然后笔杆略左下倾,以逆笔状态向右上推进,同时笔肚向上方略旋,并渐渐提起,将笔毫顺势调整为向右上的中锋状态,最后出锋收笔。

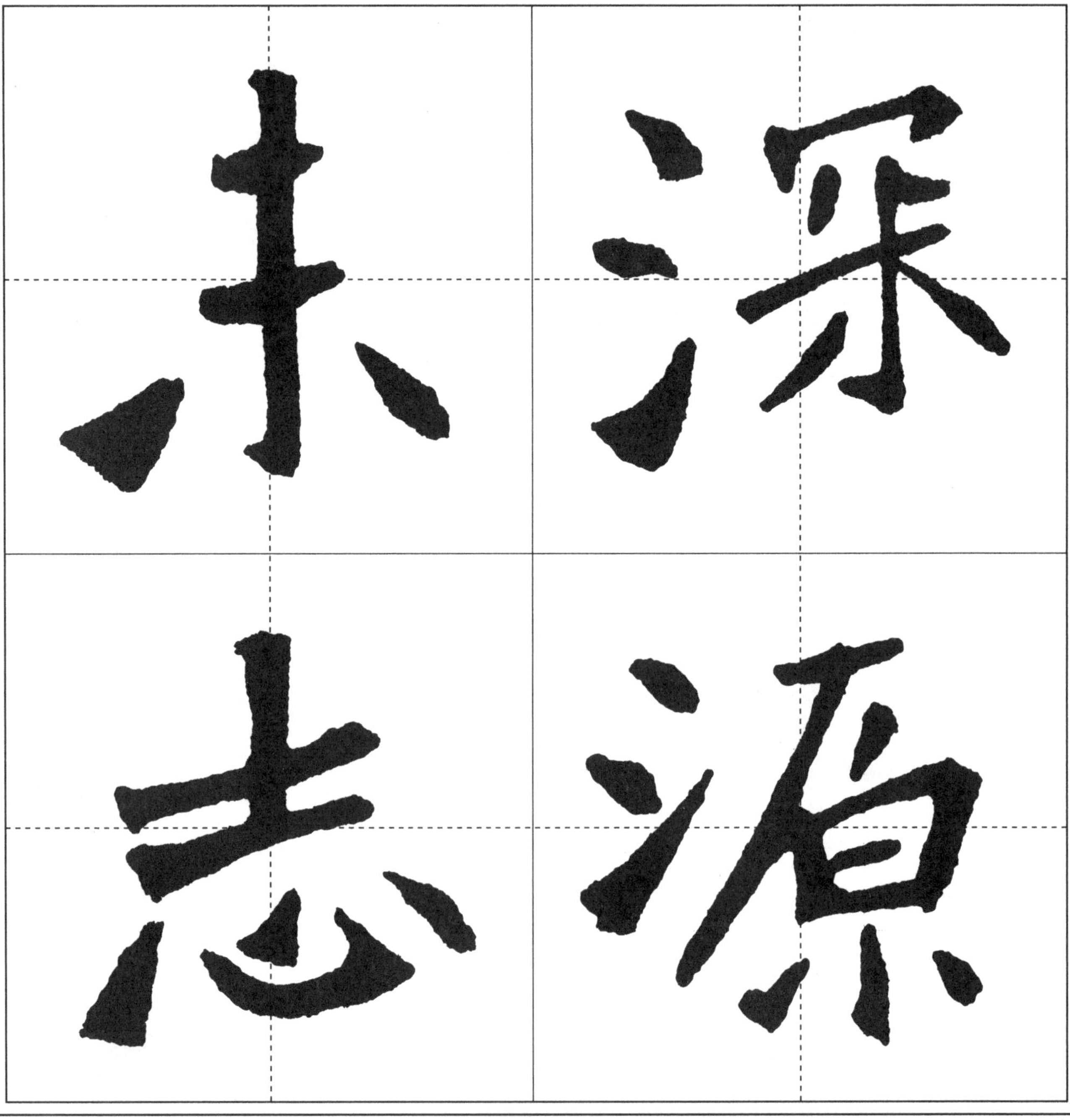

第二章 《张猛龙碑》部分常用偏旁部首

第8课 偏旁部首——单人旁、三点水、木字旁、提手旁

临写提示：

单人旁：“化”中单人旁是纵势，撇粗重且陡，单人旁与右部较开；“何”中单人旁略呈横势，撇粗重稍平、竖短接于撇底部，单人旁与右部结合紧密。**三点水：**“洗”中三点水居于字中下部，三点环状分布，第三点粗大，与右部竖弯钩形成平衡之势。“深”中三点水居于字上部，第一点最高，有飞动之势，中点变竖与下点相连，有变化之趣。**木字旁：**“松”中木字旁虽呈纵势，但重心下移，下部稠密，与右部“公”配合紧密并使字呈横势，竖画上顶。“桑”为异体字，木在这里作字底，呈横势，横很长以托上部，竖下伸，收笔回钩以利呼应，也使字稳重，撇、捺变为左右两点。**提手旁：**提手旁在“持”中呈纵势，与右部较紧，挑画变为撇，并向右下伸展，在“挨”中方旁变为提手写法，此类变异写法魏碑中很多。提手纵势明显，与右部避让，穿插巧妙。

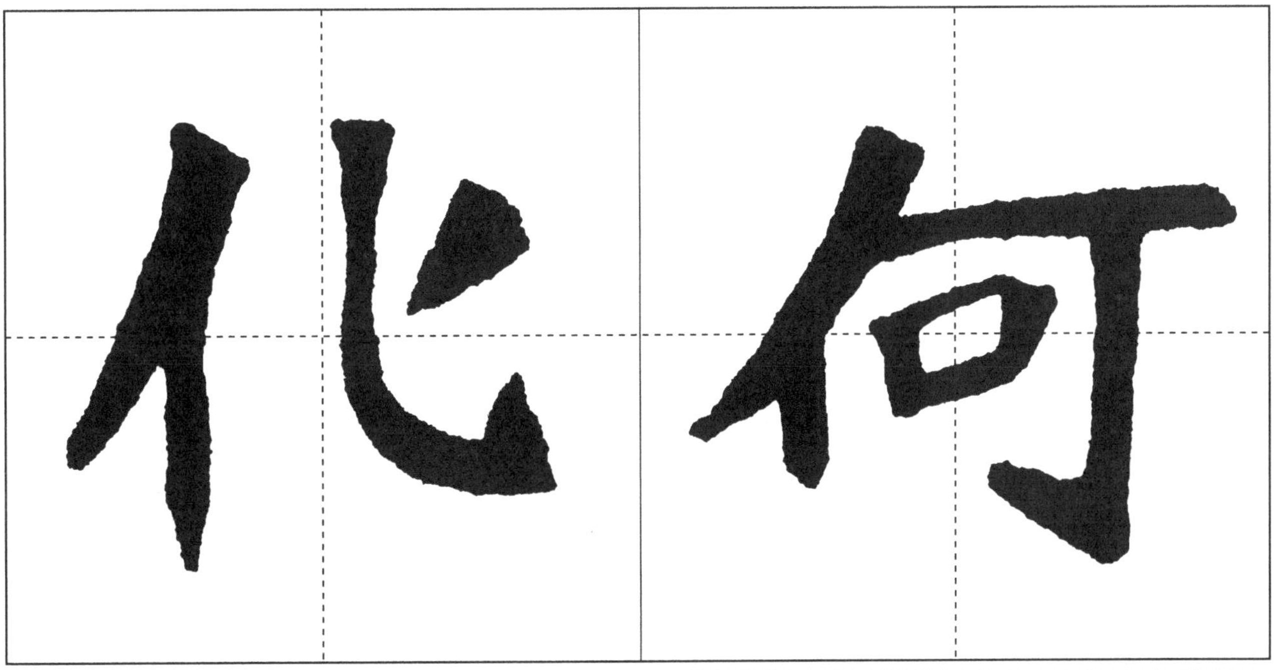

洗 淨 染

位 深 松

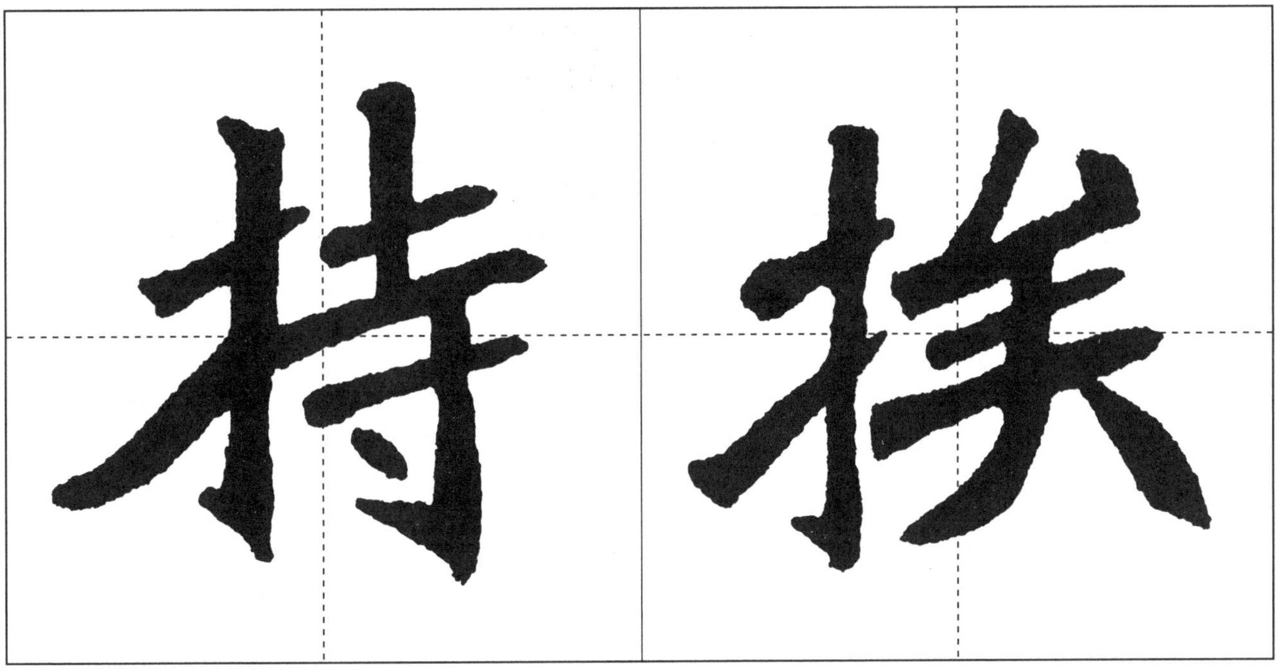

第9课　偏旁部首——竖心旁、绞丝旁、神示旁、双人旁

临写提示：

竖心旁：竖心旁在“愧”字中居上部，左点很大，较夸张，且从左下较远处强势挑向右上，非常有特点，竖起笔动作较方劲强烈，与右点紧密。“懷”中竖心旁很粗长，竖的收笔变化微妙，左挑点和右点与竖连接均紧密。**绞丝旁：**绞丝旁在“絹”字中居中上部，且呈向右上的斜势，与右部较开，平挑部较粗。“終”中绞丝旁粗大且平，笔画紧结，尤其是下三点较长，且呈放射状。**神示旁：**在“祠”中神示旁撇画向左伸展，且重心向左下移，有隶书笔意，撇及竖均交于横中右部，字形与隶法颇相近，但上点与横取势较险，却与隶法相异。“禮”中神示旁较小，居字中上部，与右部穿插巧妙。**双人旁：**“像”中双人旁取纵势，两撇很陡，竖相对较长，且接于下撇中上部，强化了该旁的纵势，但与右相配，须短小些，居字中上以让右。“後”中双人旁完全沿用隶书写法，但在挑与竖钩交接处却是楷书中特有的圭角，竖钩中的钩也是楷法，非常值得品味。

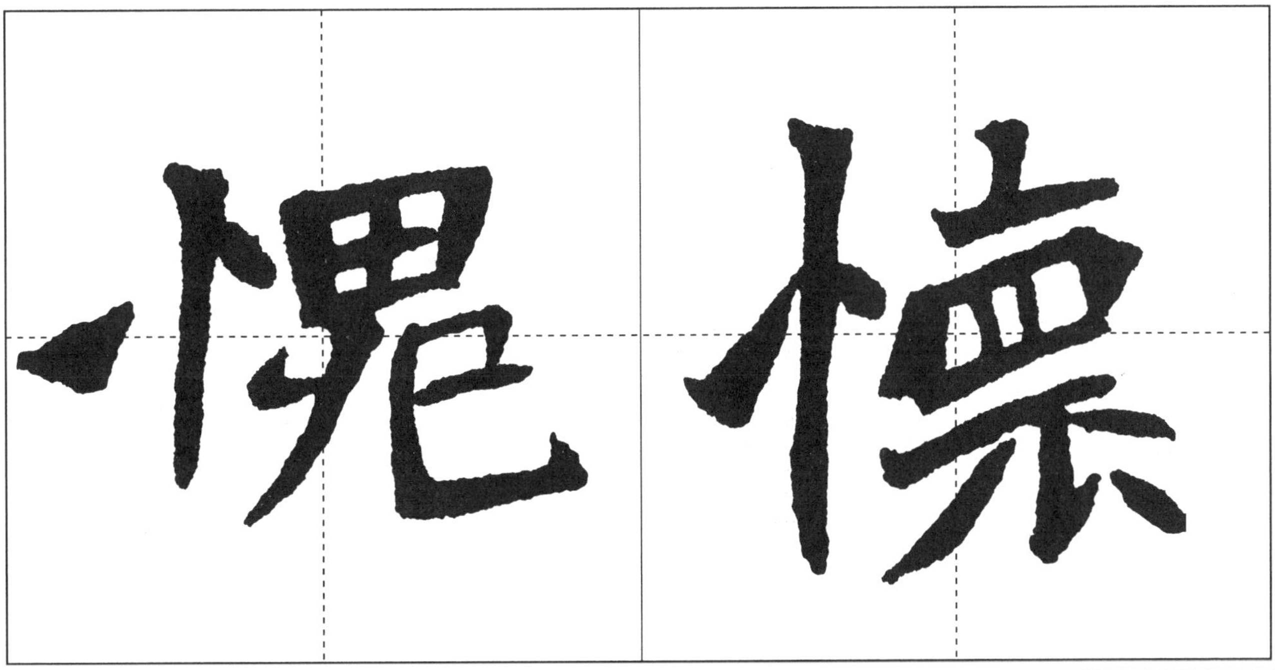

緝 績 禮

愷 終 祠

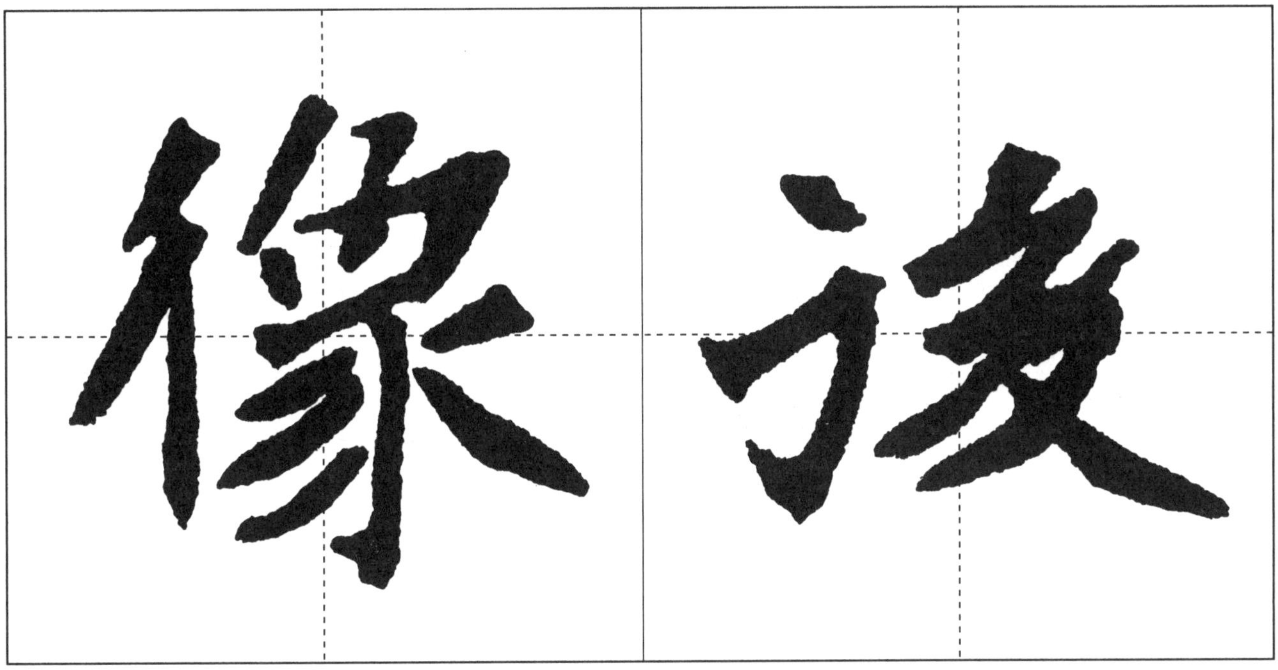

第10课　偏旁部首——左耳旁、右耳旁、立刀旁、草字头

临写提示：

左右耳旁：左右耳旁在左右的差异很大，在“除”中上耳写作瘦峻的横折，下耳写作半椭圆，一纵一横，一方一圆，真是独具匠心啊！竖画也极挺拔锋利，在“都”中上耳方正，下耳取斜势且与竖画相距较散，笔断意连，竖画向下拉。**立刀旁：**在“�”中的立刀旁左竖写为圆竖点，居于竖钩中部，竖钩重而长，这是立刀旁组合时的特点。在“刊”中，立刀旁的左竖变为向右下的三角点，其位置更靠下，竖钩更加强势，高高挺立在字的右侧。**草字头：**“漢”中草字头是一长横和两斜竖点交叉，左点短，右点长，均向下收，呈漏斗型。“芳”中草字头横是断为两个小短横的，左短横呈挑势，右短横似为长横的收笔写法，有右下顿压之势。两短竖均由重到轻向下呈漏斗之势。

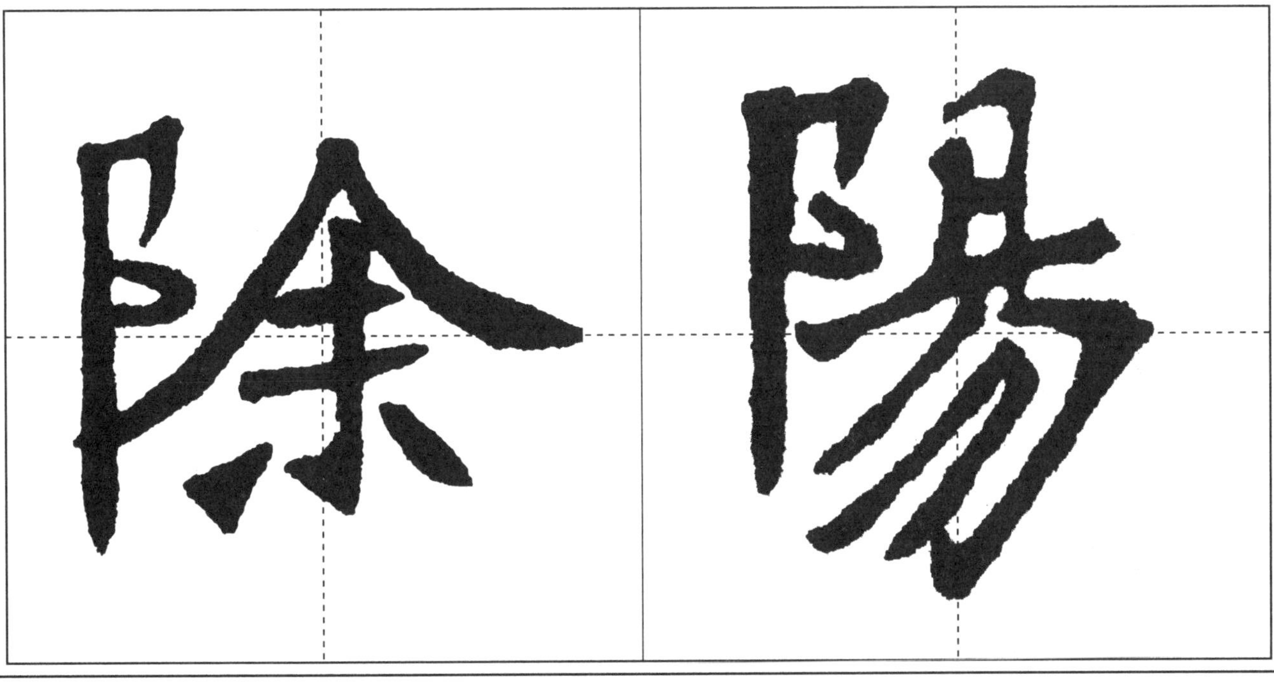

都 郎

部 刺

刊 剋

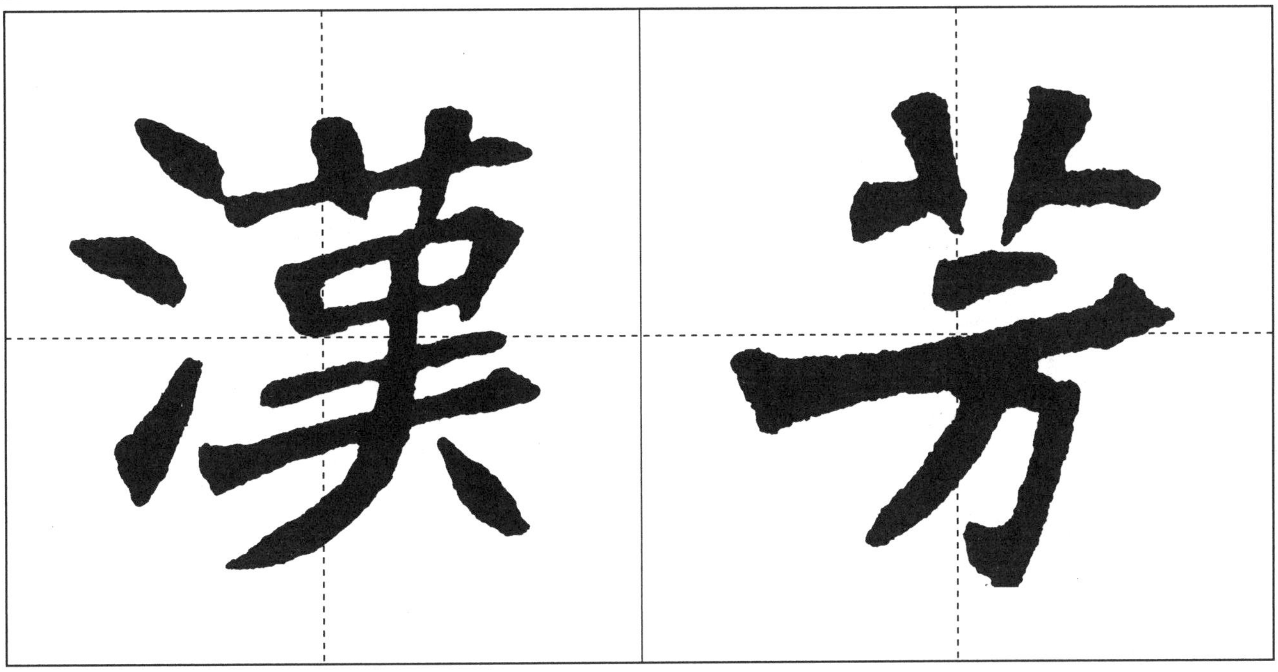

第 11 课　偏旁部首——宝盖头、人字头、走之底、门字框

临写提示：

宝盖头：“守”中宝盖头圭角强烈，左右均为棱角分明的三角形，上点较弱，横很细弱，形成强烈对比。“宣”中宝盖头均平和，左点与横钩有很大的虚空，似乎悬浮在左侧，而横钩的横却与下部的横及日的左竖对齐，其巧妙的安排实在耐人寻味。**人字头：**“禽”中人字头极为伸展，犹如大鹏展翅，且撇长于捺，撇低捺高，这很符合《张猛龙碑》的结构特征，被人字盖住的部分非常紧凑。“今”中人字头也很伸展，也呈撇低捺高之势，但捺脚很重，以利平衡。**走之底：**走之底在《张猛龙碑》中笔画被减省很多，中间有难度的横折弯撇被省为一斜竖，平捺也是一波三折，第一点为向右下的三角点。**门字框：**“開”中門字框左右两竖底部向两边张开，使重心很稳，两竖有相向之势，另外左边一半要小于右边一半“開”字在門框里居左。“簡”中門字框两竖相背之势，左边上部呈横势，右边上部呈纵势，“月”在門框里居右，有生拙之美。

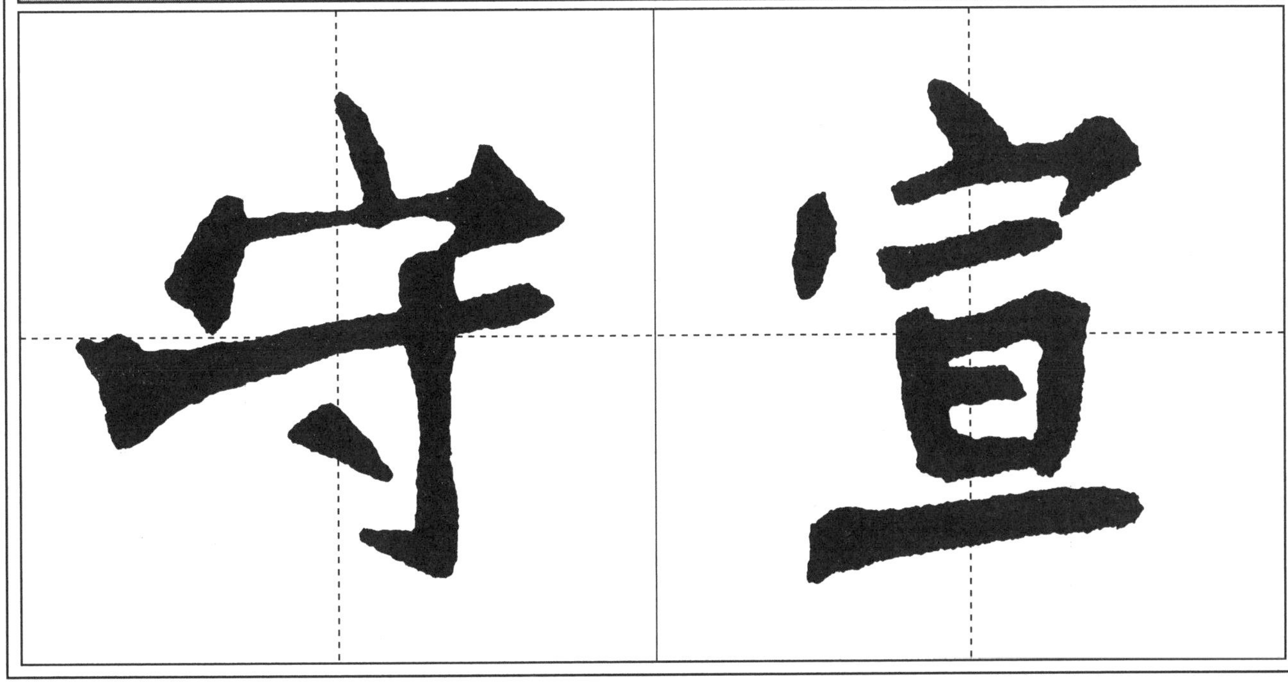

命

金

遊

宗

令

退

開 簡

第三章 《张猛龙碑》结构特点简析

第 12 课 结构特点——瘦硬险峻、体势多变

知识要点：

瘦硬险峻：《张猛龙碑》给人第一印象就是挺拔纵逸，在外形上已和后世很多楷书名帖接近了，但又不失其浓郁的古意。其“瘦”表现在很多字形修长，笔画劲健凝练；其“硬”表现在笔画方而直，笔笔如截铁，字字有傲骨；其“险”表现在横多斜势，很多字是斜中求正；其“峻”表现在处处圭角分明，笔画从各个角度森然耸立。临写时需从大处着眼，细心体会，如能和柔美平正的《张黑女墓志》、《元倪墓志》对比着写，这种体会会更强烈。**体势多变：**虽说《张猛龙碑》以纵势为主，但具体到字则是根据情况而定，其纵横正斜，俯仰向背，犹如善舞者，皆自然随意，如“身”之纵、“偷”之横、“王”之正、“武”之斜、“秦”之俯、“懐”之仰、“尉”之相向、“張”之相背。

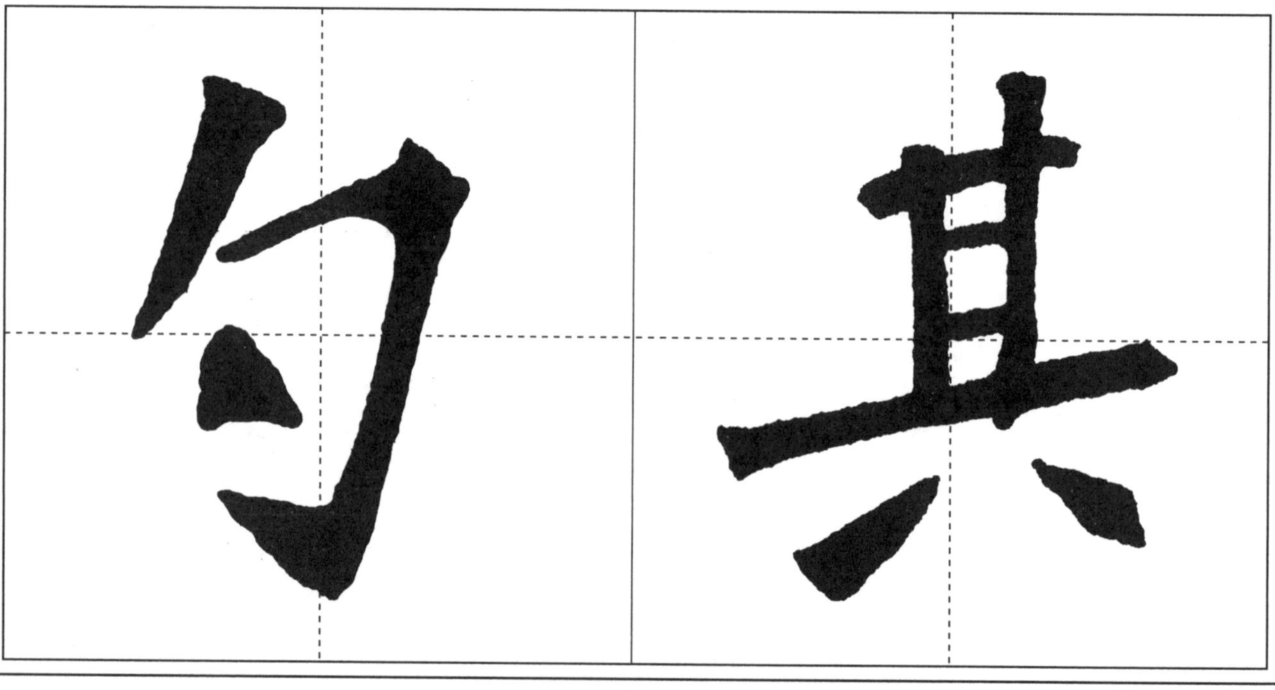

嘉竆倫

能獨身

武
懍
張
王
秦
尉

第 13 课　结构特点——穿插借让、展左抑右

知识要点：

穿插借让：细品《张猛龙碑》，可发现此碑中空间布白的严谨巧妙是让人回味无穷的。比如“焕”中火旁，撇下部紧缩，右下点穿插在右部中段的空隙上，协调而巧妙，类似的有“沉”、“既”、“憨”等，左右两边互相咬合。再如“蘅”字，将草字头置于左侧，使右侧错开；“唯”中口部置于单人上的空处，且斜势而上；“猶”字反犬旁第一笔借用右部的空间。另外，“述”、“恃”、“慕”等其结构布白都极具匠心。**展左抑右：**汉字结构中左紧右松为多见，此碑虽有相当部分的字也是左抑右扬，但大量的字却处理成展左抑右，左松右紧，这是《张猛龙碑》非常有特点的结构特征，如“七”、“千”、“乎”、“止”、“不”、“孝”等。另外，很多字的撇画伸展很长，也符合此特点。

唯
迷
纂
衡
猶
恃

千 止 孝

七 平 不

第 14 课　结构特点——内紧外松、上紧下松

知识要点：

内紧外松：《张猛龙碑》中的字多数中宫很紧，即字中笔画尽可能地向中心部位聚拢，使中心部位笔画密集紧结，与之相配合的是字中的长笔画尽量向外伸展，字的外围空间松弛疏朗。一般情况下，字内紧外就松，反之，内松外就紧，如“長”、“青”、“舟”、“飛”、“震”等。**上紧下松：**这是楷书结构的一般原理，但《张猛龙碑》许多字的上部紧凑，而下部处理得非常开阔，使字形稳健大方，有些字甚至有些夸张，如“盖”字，皿部要远远宽于上部羊字头；“留”字两个口写得极小，而田写得却很庞大；“貧”字上部分写得简略紧凑，贝部则逐渐变阔，最后一横向左展开，使下部极为开阔；“淵”、“恩”等均呈仰视之态。临写时注意从整体上好好把握这些明显的姿态特征。

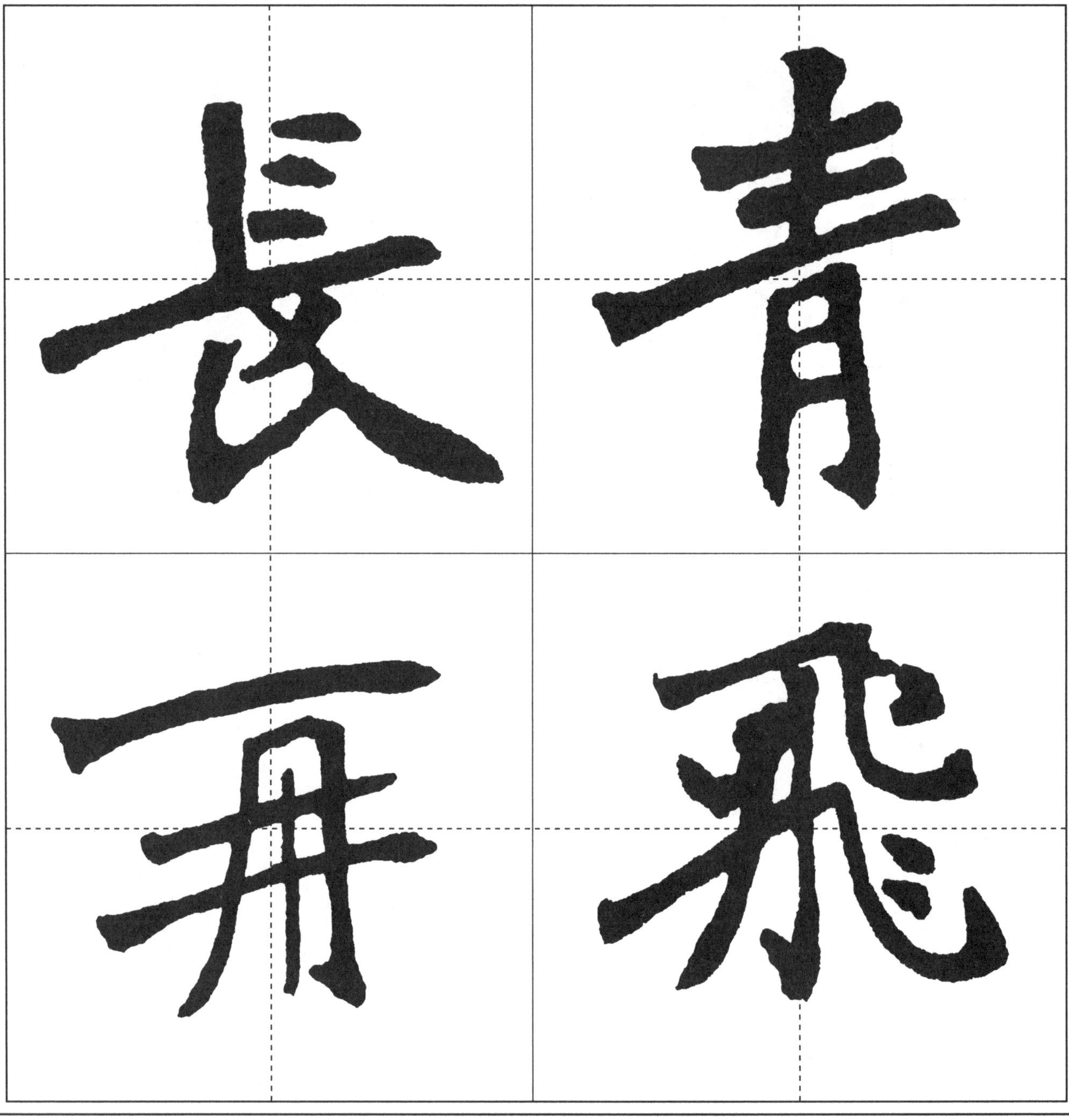

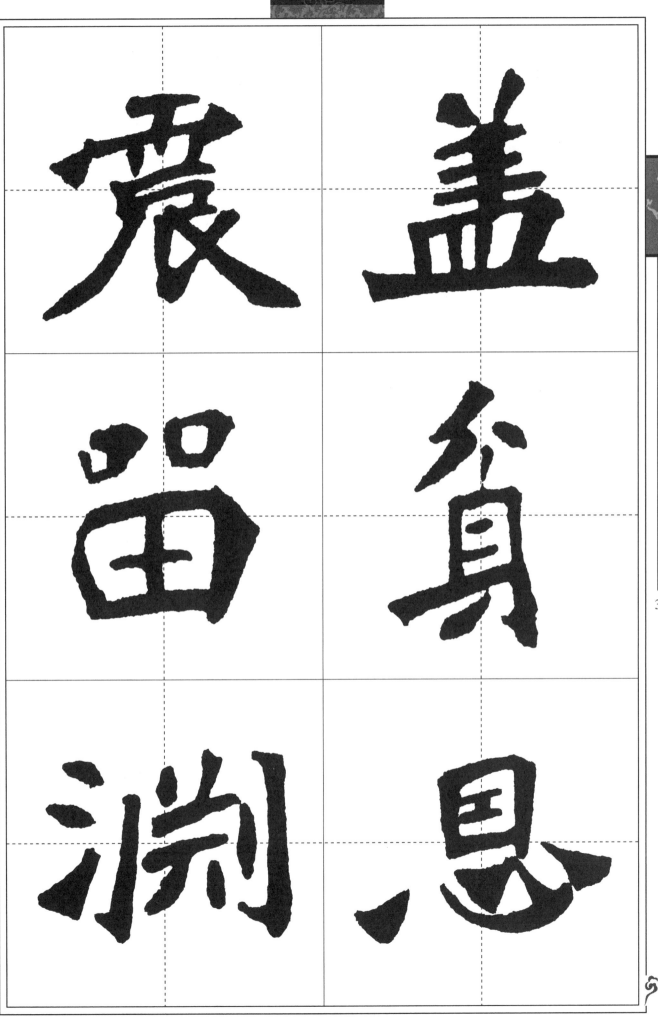

盖 贫 恩

震 留 渊

附：张猛龙原拓（节选）

（1）

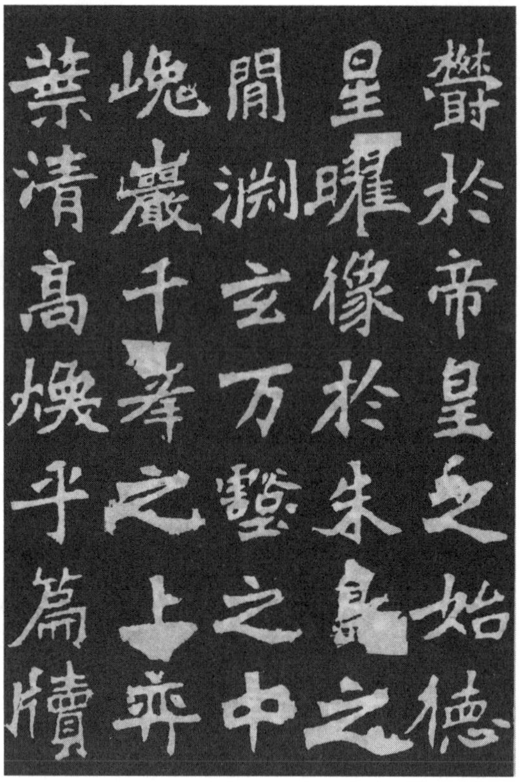

（2）

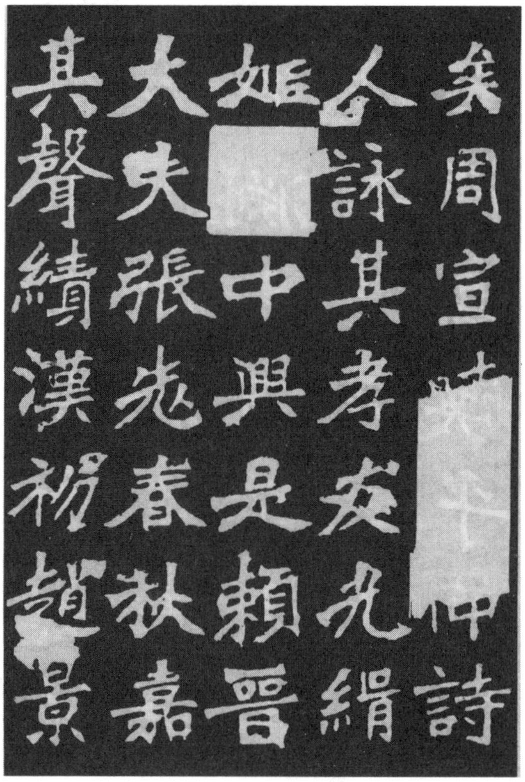

（3）

（4）

北魏《张黑女墓志》

《张黑女墓志》全称《魏故南阳太守张玄墓志》，也称《张玄墓志》，刻于北魏普泰元年（公元531年），该碑20行，每行20字，原石早已不存，现仅存一本明代拓本，藏于上海博物馆。《张黑女墓志》秀逸娴雅，同时又质朴生拙，自然天成而又独具匠心，既以楷法为主又保留古朴的篆隶笔意，同时还巧妙地运用了行书的技巧；既疏朗整饬，又变化万端，真可谓兼收众美，精妙绝伦！清何绍基评曰："化篆分入楷，遂尔无神不妙，无妙不臻，然遒厚精古，未有可比肩黑女者。"康有为也说："《张黑女碑》如骏马越涧，偏面骄嘶。"

此碑不但书写水平极高，而且刻工也极佳，很好地保留了书者用笔细节，实谓难能可贵，有"碑中墨迹"之称。此碑用笔之精熟，技巧之高堪可与南帖比肩，实是北碑中难得之神品。

第一章 《张黑女墓志》的笔画

第1课 基本笔画——横

技法详解：

一、与《张猛龙碑》相反，《张黑女墓志》笔画圆润柔和，且以轻柔的左尖横为主，与《张猛龙碑》起笔的强势形成鲜明的对比。尖横又分为上翘横、平尖横和下压横，如"玉"字较为典型，上横收笔上翘，下横收尾下压，中横收尾则较平缓，再如"二"、"巨"、"星"等。

左尖横：（1）上翘横　　（2）平尖横　　（3）下压横

写法：笔尖轻藏从左上方入纸（动作很小，避免太尖滑），笔毫顺势轻轻铺下，同时向右中锋行笔，渐行渐按，由轻到重，不论上翘、下压还是平尖横，前面大部分的写法要求一样，区别主要在收尾处。上翘横是提锋收笔转向左上（方笔则是折向左上），平尖横是略向右下，提毫收笔。如笔画形态圆柔，还需要在笔尖提起时向左上回锋。下压横是笔毫向右下顿压后提锋收笔，除运笔动作外，还要把握好横画略向上斜的方向。

二、横入笔一般柔和，但收笔时有时却较方，我们知道，方的效果主要用折笔，前面已有介绍，如"五"、"雨"字上横。

三、除左尖横为常用外，起收皆有顿挫的长横也用得很多，如"上"、"七"等。

四、有些横较短时，写作两头皆轻的形状，我们称之为双尖横，笔画越短这种写法越多，如"氣"、"蒲"、"雅"中的横。这也是《张黑女墓志》代表性笔画之一。

长横写法

露锋侧下，然后笔肚轻转，将笔锋调整为向右的中锋，同时笔毫略提起，顺势向右中锋行笔，至中间笔画最细，后半部分又由轻到重，至收尾向右下顿按，最后提笔回锋收笔。在横画的倾斜方向上，《张黑女墓志》远不如《张猛龙碑》斜得厉害，多数只略向上倾斜少许，所以显得平缓柔和。

双尖横写法

笔尖略藏（避免太尖滑）然后顺毫向右中锋行笔，先由轻到重，到中部再由重到轻，最后向右提锋收笔，笔尖快提起时，略回藏收笔。

特别提示：此墓志中很多长横的起笔都有明显的钩角，其细腻处以及笔意浓郁，犹如刚写出的墨迹一般，我们将字处理成黑字更能真切感受到这一点。

五、以上只是《张黑女墓志》中横的一般写法，在实际临写全碑时该碑的笔画并非同一模式，笔画形态非常丰富，其具体到每一个笔画的落笔藏露、方圆、提按分寸，笔毫运行方向，可以有许许多多的变化，在临写时须细心把握。另外，横是多数碑帖的重点，因为横画在字中出现的机率大多于其他笔画，对字的效果有决定性的影响。

二
星
雨
玉
臣
五

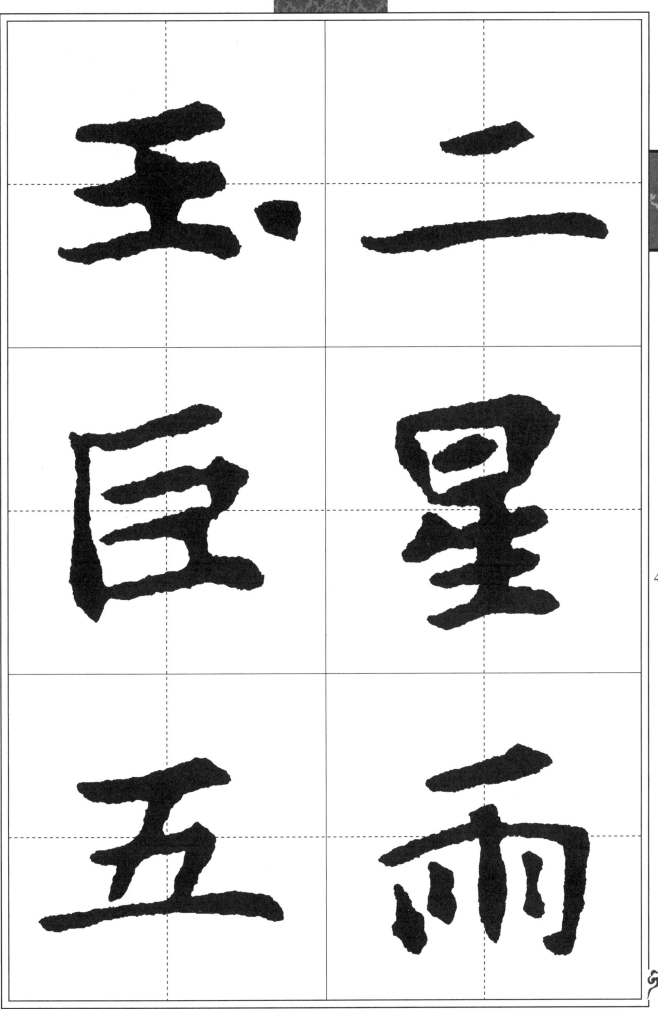

七氣雅

上不滿

第2课　基本笔画——竖

技法详解：

一、在本墓志中，字形横势明显，故相对而言，竖一般较短、较弱，不似《张猛龙碑》中竖如长枪大戟，气势如虹，很多情况下竖比较细，这个特点是我们首先要把握的。

二、本墓志中的竖可分为三种，第一种为悬针竖，用得最多，如“中”、“於”、“神”；第二种为短中竖，如“出”、“性”；第三种为垂露竖，如“水”、“枚”、“谢”等。

悬针竖写法

顺锋向右方轻顿，然后笔锋向右上轻轻提起，再向右方横切，完成后笔毫突起折向下方，调整为中锋，稍有提按变化地由重到轻，至中段又改为由轻到重，再由重到轻最后出锋收笔。

提示：露左尖的横切起笔法在本墓志中用得较多。有些悬针竖动作相对简单，起笔侧下或横切后折笔向下调为中锋，行笔时笔毫渐渐提起，由重到轻，至末出锋收笔。

悬针竖 1

悬针竖 2

短中竖写法

起笔同悬针竖，也有些竖起笔直接横切或侧下，中锋行笔后至尾部直接回锋收笔，一般较短，所以称短中竖。

垂露竖写法

起笔行笔与悬针竖的方法大致相同，差别只是在收尾处，行笔至收尾最重处，笔锋转向右下，同时笔毫渐提，最后笔尖轻回。也可行笔至收尾处，笔毫向下渐提，至底端笔锋折向左上，最后向右上回锋收笔。

短中竖

垂露竖 1

垂露竖 2

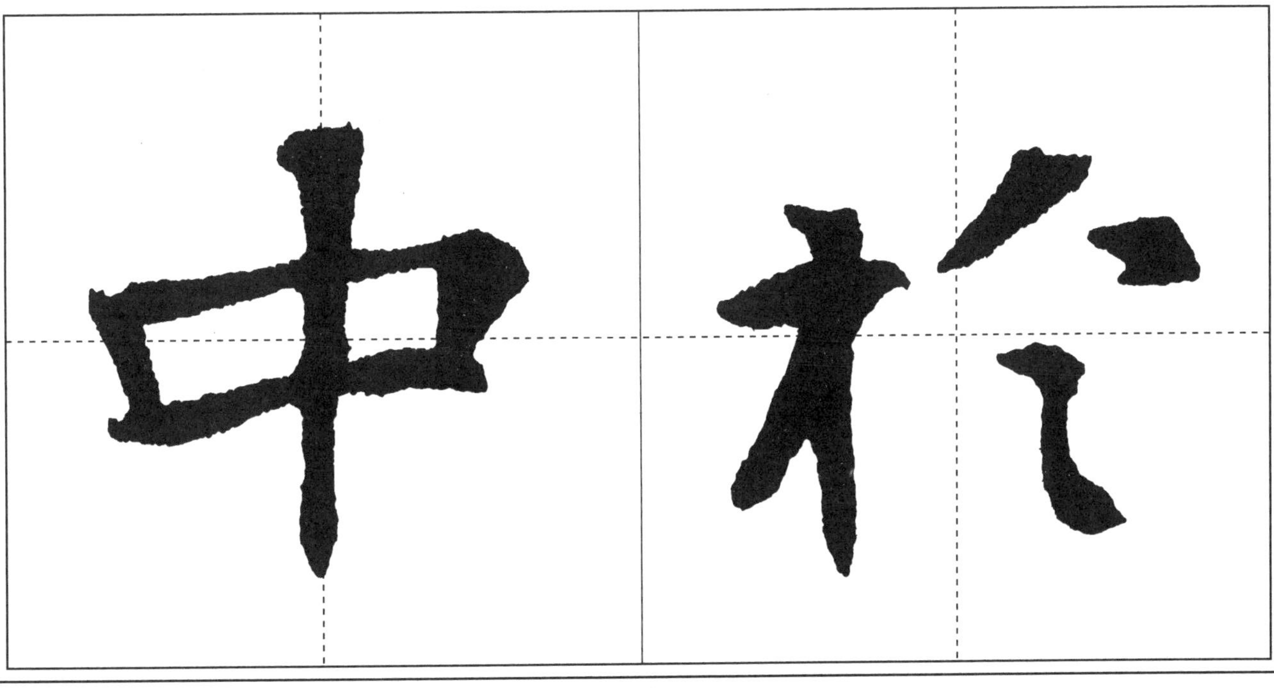

出 水 謝

神 性 牧

第3课　基本笔画——撇

技法详解：

《张黑女墓志》中撇大致可分为三种，第一种为斜撇，是用得最普遍的撇；如“人”、“有”；第二种为短撇，如“從”、“化”；第三种为竖撇，如“史”、“風”等。以上面字例中的撇为例，写法如下：

<table>
<tr><td>斜撇写法</td><td>侧锋落笔（很多是横向落笔），然后突转向左下调整为中锋，向左下中锋行笔，渐行渐提，由重到轻最后出锋收笔，其倾斜方向根据字形而变。</td><td></td><td rowspan="2">竖撇写法</td><td rowspan="2">起笔侧下，或藏锋起笔（笔画形态较圆润用藏锋），转笔向下中锋行笔，此段为竖的写法；至中部笔锋转向左下中锋行笔，笔毫渐行渐提，由重到轻，出锋收笔，此段为撇的写法。但是，有些竖撇，轻重变化不明显，收笔是含蓄的回锋收笔。</td><td rowspan="2"></td></tr>
<tr><td>短撇写法</td><td>方法同斜撇，只是笔画短促，本墓志中用得也较多。</td><td></td></tr>
</table>

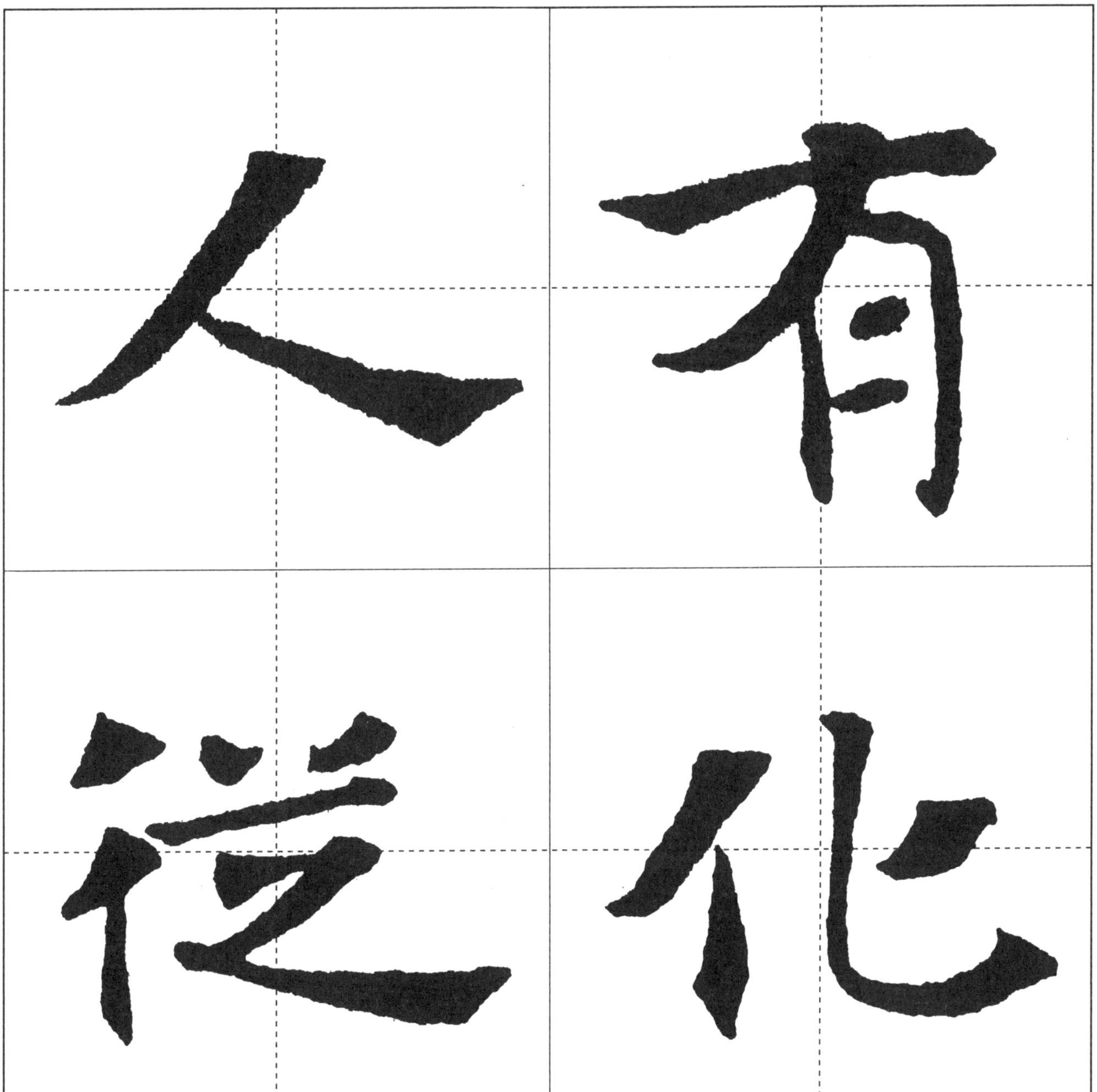

風秀名
光羌泰

第4课　基本笔画——捺

技法详解：

一、《张黑女墓志》的捺画，应是很能代表此墓志特点的一种笔画。我们知道，此墓志虽为楷书，但隶书遗存极多，捺画就极为明显，主要表现在两个方面：其一、捺画倾斜角度大多小于45度（与水平线夹角），这是隶书捺的特征；其二、捺画收笔的捺脚是上挑的，而多数楷书是取平的，上挑也是隶书的特征。确实，从其外形和笔意上看，《张黑女墓志》的捺别具一格实是非楷非隶，韵味无穷！

二、虽然《张黑女墓志》的捺都很平，但在此基础上也与其他碑帖一样，也有斜与平之分，如一般捺画其倾斜角度约在30度左右为多，另有一些捺画其方向几乎水平，因此我们还是按照惯例将这两种捺称为斜捺和平捺，如“太”、“父”、“坂”、“含”、“故”等字中的捺为斜捺，“之”、“進”、“遠”中的捺为平捺，平捺一般用于“之”及走之底，斜捺和平捺的运笔方法基本一样，只是用倾斜角度稍加区分即可。

三、此墓志的捺大多轻重对比强烈，即入笔时都较细，行笔至尾部时多很粗，其块面感和效果在字中很抢眼，而收笔时仅仅向右上稍挑起就形成漂亮的捺脚，大都方折整齐，显得痛快响亮！有时连挑起的动作都不明显，但却笔意浓郁，含蓄蕴藉，其笔法之美，实是本墓志的一大亮点！

四、以“坂”、“之”中的捺画为例，写法如下：

捺画写法

笔尖轻藏入纸，然后顺毫向右下，中锋行笔由轻到重，至末稍驻，笔肚果断折挑向右上方，笔锋顺势向右上角渐起渐提，但过程很短促，注意力要送到笔尖，斜捺中线条与水平线夹角约30度左右，平捺则接近水平，捺脚挑出的角度要根据情况变化。

斜捺

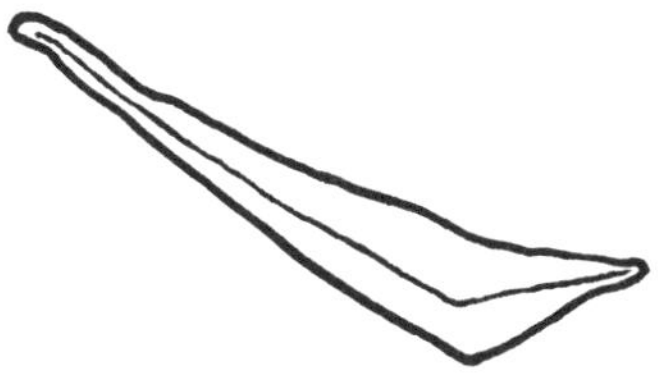

平捺

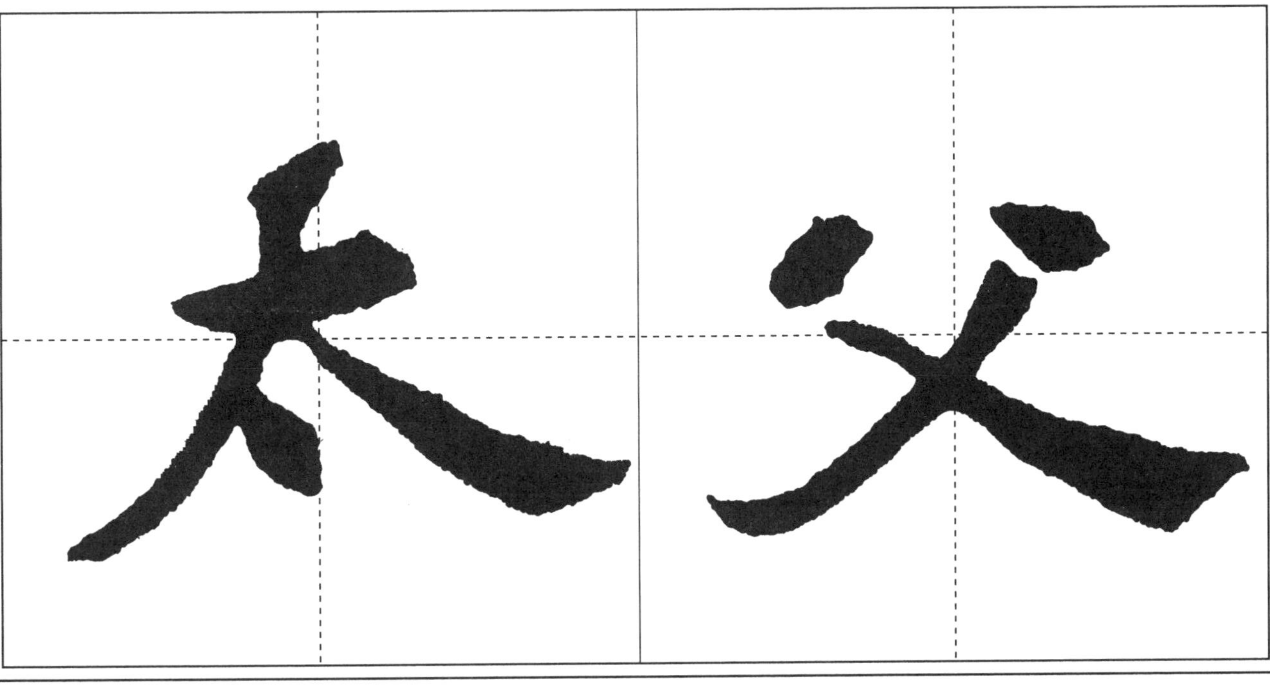

合之遠

圾故進

第5课　基本笔画——挑

技法详解：

一、挑画在《张黑女墓志》里显得很不突出，很多字中将挑弱化了，但很多字里的挑又是不可替代的。与《张猛龙碑》不一样的是，此墓志里挑画已有明显的自身写法，与横的差异已相当大了，故有必要专门练习。

二、此墓志中的挑大致可分为斜挑和平挑两种，其中以斜挑为多见，如："漢"、"北"；平挑的字如："之"、"魏"。这两种挑运笔动作基本一致，区别只是倾斜方向，斜挑约45度左右，平挑方向不很固定，约在30度至水平方向之间，因此只要掌握一种写法即可。

三、挑画具有很强的动感和连带感，临写时特别要注意挑画收尾与其他笔画的连带呼应关系。

挑画写法	从左上向右下侧锋切下，然后迅速果断调整笔锋向右上中锋行笔，渐行渐提，由重到轻，最后出锋收笔。注意整个笔画与水平线的夹角。	斜挑 	平挑 

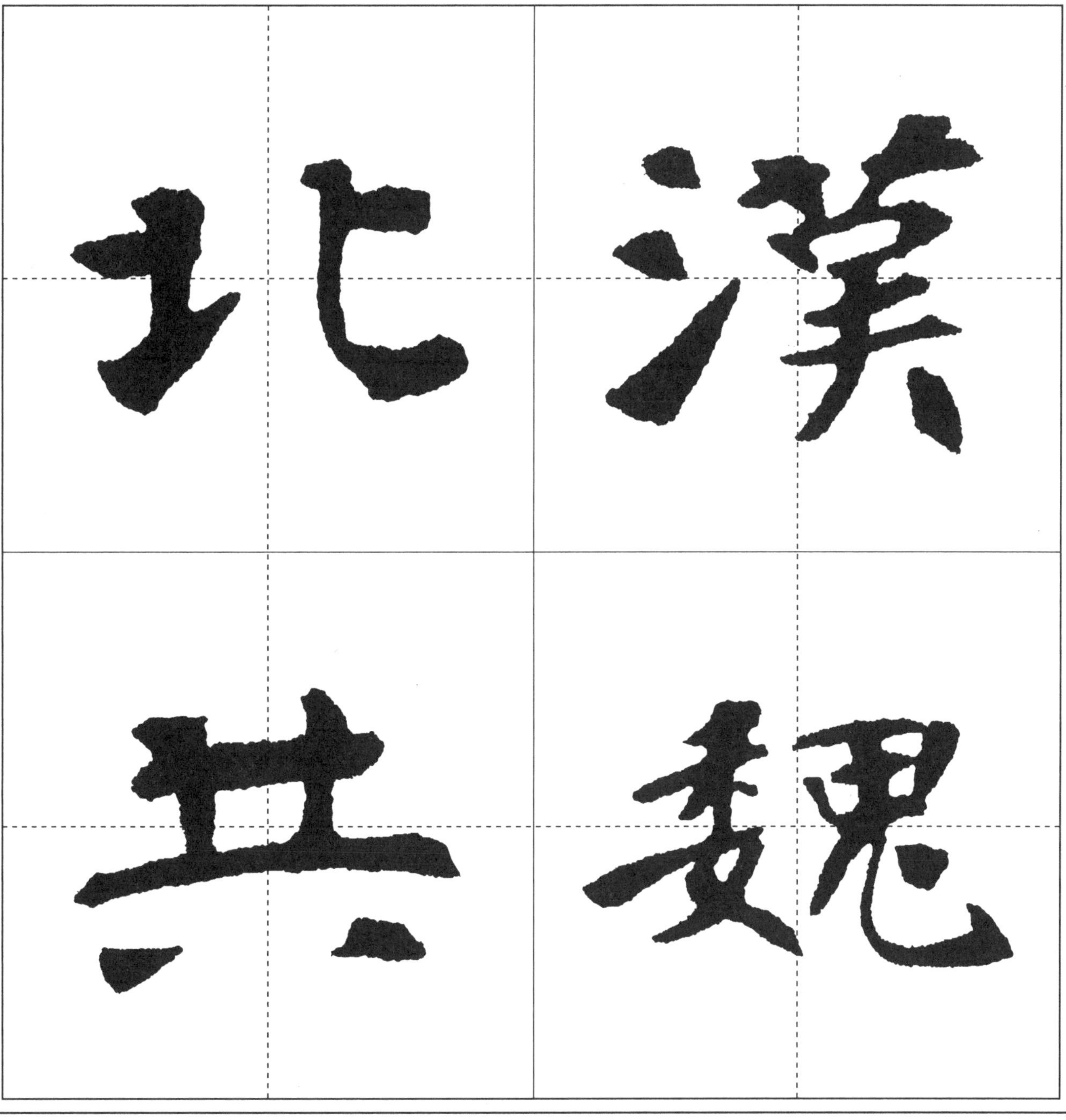

第6课　基本笔画——折

技法详解：

一、《张黑女墓志》的横折大致可分为三种：第一种为方折，即转角处有明显的圭角，粗重方正，与其前后产生强烈的对比，与《张猛龙碑》的转折有异曲同工之妙，这是本墓志“刚”的地方之一，如“石”；第二种为圆折，即转角处圆润顺畅，无明显的圭角，如：“司”等；第三种可虚折，这种折的横和竖相连接松散，完全可以分作两笔来写，如“祖”中的折。此类写法的字不多，此不作详细讲解。

二、本墓志中横折的横在许多情况下呈一定弧度，尤其在圆折中较明显，如“明”、“置”等。

三、除横有弧度外，横竖的粗细对比的效果使本墓志的横折显得变化丰富，其中有横比竖细的，如“妻”；有横竖差不多粗细的，如“悟”；有横粗竖细的，如“陽”等。

四、折画除横折外，还有竖折、撇折、其技法相对简单，并且均可以两笔来完成，此处略讲。

方折写法	侧锋斜下，转笔向右完成由轻到重短横，至横末端笔锋半提起至右上角，然后笔毫折向右下方切下，稍驻，笔肚折向左下，调整为中锋状态，向左下方行笔完成斜短竖，要求笔锋转换果断，写出明显圭角。	圆折写法	顺锋入笔，向右完成短横，至末端运笔速度稍慢，渐渐转笔向右下，稍一过渡即顺势转笔向下方，中锋行笔，完成短竖。

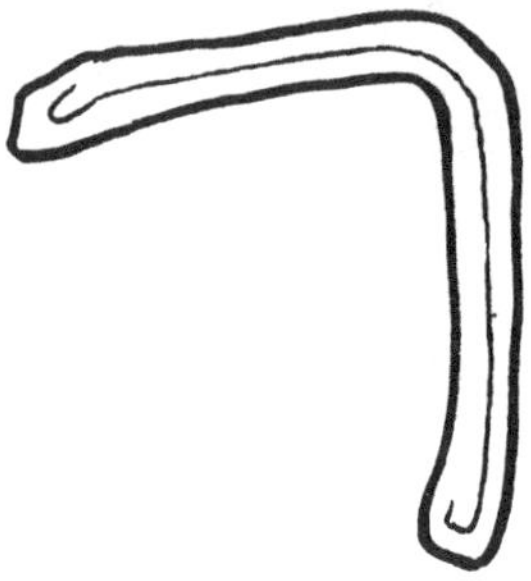

明妻陽

祖晉悟

第 7 课　基本笔画——钩

技法详解：

楷书中的钩在技法上无疑是个难点，不但因为钩的种类较多，且每个钩的动作都很细致复杂，所以都不容忽视。《张黑女墓志》中的钩也不例外，甚至变化更加丰富，相比较《张猛龙碑》要规范成熟，下面一一分而述之。

一、**横钩**：横钩与横折写法很相近，其实横钩的钩可以看做是横折的竖，是极短促的由重到轻的斜竖点，也可将之看做是撇点，而关键的转角处写法两个笔画应该是一样的，如“室”、“空”、“軍”等字中的横钩。并且，此墓志中的横钩中的横大多较细，而转角却宽重，形成强烈对比。

横钩写法

笔毫轻轻侧下，笔锋轻转向右，中锋行笔，至末端笔画稍细，然后笔毫略提向右上方，再向右下约 30 度方向切下(此墓志的横钩都较平)，笔毫下铺较重，随即笔肚果断折向左下方，其幅度很大，使笔画下侧轮廓很平，同时笔锋在最短距离内向左下提起。

二、**竖钩**：《张黑女墓志》中的竖钩有些可能是石碑剥蚀的原因，形态动作含糊不清，很是遗憾。尽管如此，钩的写法看起来还是很多，其技术难度也都不小，如“木”、“翔”、“所”、“侍”这四个字中的钩都有较大区别，临写时最好能准确区分，其区别的关键是钩的动作和形态，其写法分别如下：

竖钩 1

竖起笔较夸张，完成书画至末端后(竖的写法可参考前面)，笔锋向左下略转，顺势也向左下略提收，然后笔毫向左上顶起，随即笔毫顺势翻向左边，并向左方提锋收笔，此写法难点和关键在于翻笔处。

竖钩 3

此类写法中竖画一般是由轻到重的，至尾部最重，然后稍稍转笔向左下，随即笔肚略转向左，同时笔毫也向左提起，收笔可不出锋。此类写法相对要简单很多。

竖钩 2

竖画运笔至末端时，笔锋提收至右下部，当笔尖快离开纸面时，笔毫果断向左上部顶起，并顺势使笔毫翻向左上，(此时笔毫呈逆行状态)，同时，笔毫反向铺下，至一定幅度后，随即向左或左上提锋钩起。

竖钩 4

此竖钩的特点是钩底部轮廓较平，即钩的方向很平，且钩很长，其运笔方法与“竖钩 3”差不多，只是在笔锋转向左部时，不立即提收，而有一个较长的提笔过程，且笔肚保持水平向左，笔尖自然收向左下钩尖处。

提示：此竖钩(2)写法难度很大，关键是钩底部的尖角及钩与竖之间的直角效果同时产生，非此法不能为。这是魏碑书法中常常出现的一种写法，反复多练自会掌握。

三、**斜钩**：此墓志中斜钩形状和其他碑帖中的斜钩差异很大，首先是起笔的左下侧锋入笔，再就是整个斜线呈S形弯曲，真是别具一格，如“茂”。不过当斜钩处在右侧，角度倾向竖直时，其写法却与其他碑帖中相差不大，如“識”中的斜钩。

四、**卧钩**：《张黑女墓志》中有卧钩的字较少，仅有“誌”、“德”、“悲”三字，誌字中的卧钩似乎为两笔完成，掌握的意义不大，仅作了解；“德”中的卧钩笔道不清晰；“悲”中的卧钩应当为典型写法，且与《张猛龙碑》中卧钩形态相似，可作重点练习。以下以“悲”中的卧钩为例，写法如下：

斜钩写法

以“茂”中的斜钩为例，起笔从右上向左下侧锋轻轻切下，然后将笔毫调整为向右下的中锋状态，行笔过程呈一定幅度的S形，至尾部翻笔向上方提锋钩出。

卧钩写法

露锋顺毫入笔，由轻到重完成一段向上弯曲均匀的弧线，至尾部笔锋提起至右快离开纸面时，笔毫翻向左上，并顺势铺毫至笔画上沿，然后提笔出锋收笔，其难度在于钩尖和右部尖角。

五、**竖弯钩**：竖弯钩在一般楷书中都很强势，尤其弯钩部分向右伸展较多，而此墓志中竖弯钩均较弱，如“光”中竖弯部分都较细弱，弯钩也不太长，“馳”中更是将钩省去，很耐人寻味！

竖弯钩写法

藏锋起笔（也有露锋侧下的），调整为中锋向下方行笔，作一略向右倾且由粗略变细的短竖，至末转笔向右下，线条继续变细，略一过渡，即转向正右方，线条变为由细渐粗，至尾最粗处笔毫转向上方并提锋钩出。

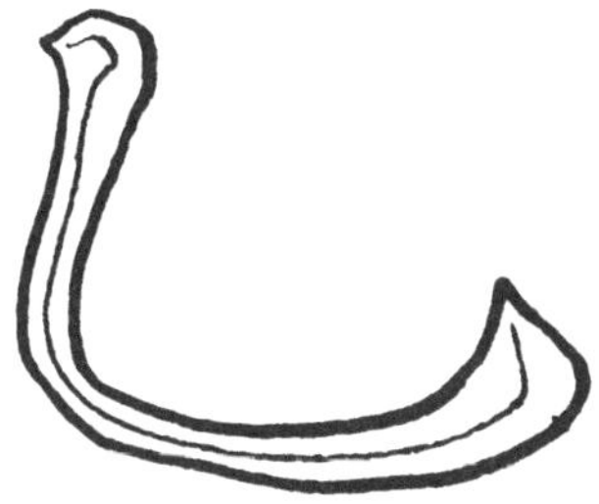

提示

整个笔画应自然顺畅，一气呵成，且由轻到重过渡要自然均匀。此笔画是以“光”中的竖弯钩为例的，其他字中的竖弯钩形态略有不同，但运笔方法大同小异。

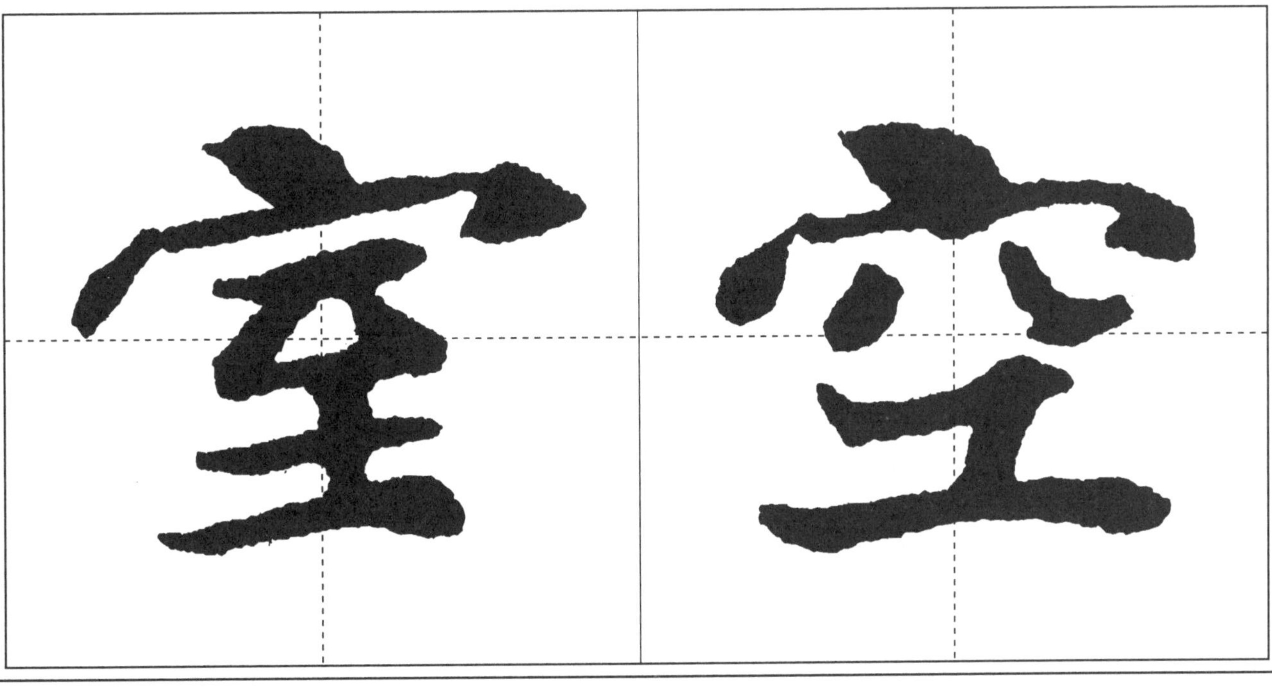

本 所 茂

軍 翔 侍

誌

悲

馳

識

德

光

第8课　基本笔画——点

技法详解：

《张黑女墓志》中的点同样也是极具变化，若仔细比较，应该是无一点是相同的，并且很多横竖撇捺挑都缩短变为点，使字变化丰富，生动活泼。当然，本书不可能一一列出，但可以选择部分有代表性的点来分析，即可举一反三，触类旁通。另外，如《张猛龙碑》中所讲，点只是其他笔画的缩写，这样理解难度就小很多了。

试举几例分析如下：“守”、“無”中第一点可称为斜点，这一点很有特点，其用笔之重，笔画之大是其他碑帖中很少敢用的，其写法为：从左上向右下顺毫落笔，然后由轻到重重按铺毫，稍驻、笔锋向右下，同时笔肚转向下方再转向左下，并带动笔尖渐渐提起，至左下角后向左上回锋收笔；“皇”、“行”中第一点为撇点，写法与横撇相同，只是笔画短促；“州”中的三点为挑点，写法与挑相同只是较短促；“抓”中下两点为垂点，其写法同斜点，只是将倾斜方向变为向下即可；“之”中第一点为横点，其写法同尖横，只是较短；“亥”中的右下笔画为带下点，其写法是在斜点基础上，收笔不回锋，而是向左上带出，然后出锋收笔，此点一般行书中常用。

於亥并
州之次

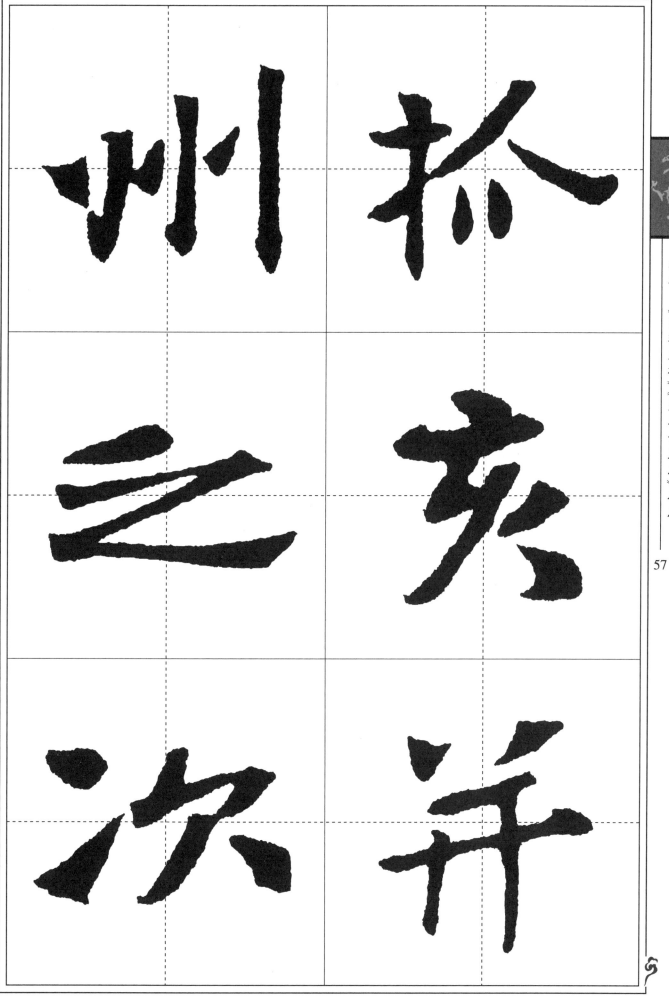

第二章 《张黑女墓志》的结构

《张黑女墓志》融楷隶行于一体，既有北碑的率意、奇巧，又有南帖的精致、严谨；既有大字的开张，又有小字的蕴藉，真是兼收众美，似乎在其中可以看到所有碑帖的影子，而又无一笔不是《张黑女墓志》自己，实是碑中绝唱！正由于此墓志如此之高妙，其结构特点似乎很难用几个规律就能说清楚。但是，我们可以选择部分结构巧妙、特点明显的字加以分析、熟悉，学习者再大量练习，可能作用更大些。当然，分析的角度是多样化的，也不可能面面俱到，取其一点，主要起抛砖引玉的作用，学习者如能举一反三，那就再好不过了。

第9课　结构练习一

知识要点：

楷书的字形多为纵势，隶书多为横势，这应是其重要的结构特点。本课选取一些字形上隶书遗存较多，横向明显的字，集中练习，以很好地体会这一特点。

“照”右部宽扁，使整字较宽。“秋”左部避让少，较宽，右部更开张撇捺拉得很开，左右两边也较开，近似隶书的结构空间分布。“故”口部较扁，竖短，右捺角度平，向右伸展更增加其横式。“塸”主要是右部很扁，且两部分都有向右的趋势，典型的方而宽。“共”两竖较松，且平行，无一般楷书中紧结下收处理，可以说是隶书结构，楷书笔画。“松”、“時”、“唯”、“燭”、“誦”左右两边皆宽，虽都是笔画密集，结构紧凑，避让有度，但都是横长竖短，宽阔丰实。

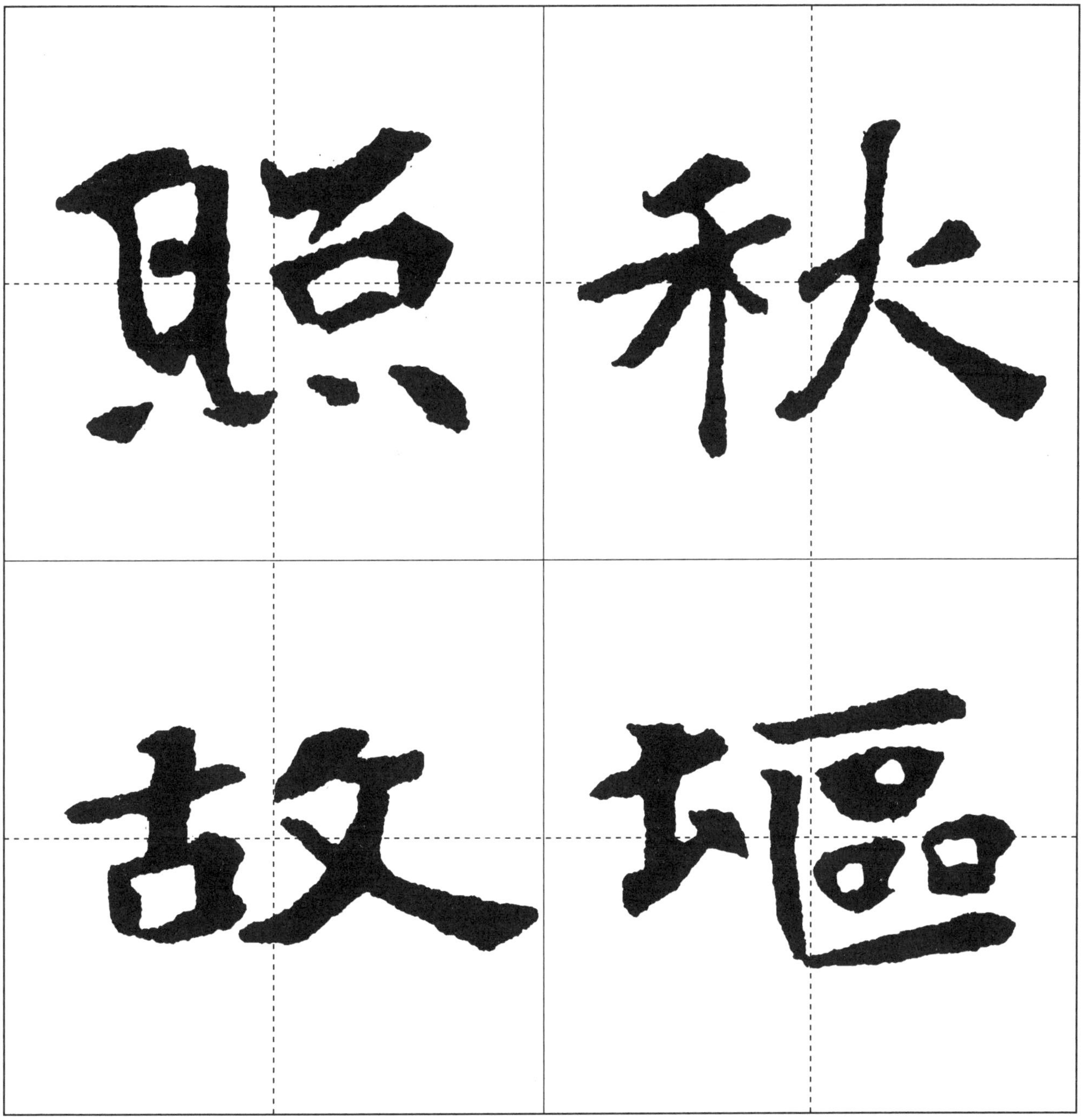

松
唯
誦
共
時
燭

第10课　结构练习二

知识要点：

《张黑女墓志》中行书技法用得很多，使字率意灵动，笔意绵长，其连带与省减的手法比比皆是，使这些字的结构独具特点。

“奇”字上两点相互呼应，口字笔画相互连带；“於”右部右点与下两点相互引带，下两点相连，使右部灵动而整体；“蒲”三点水中下两点相连；“良”长捺变为带下的斜点，使字形灵动，气息连贯；“無”省减非常多，完全是行草字形写法。其他如“史”、“盪”、“纯”、“若”、“然”等都有明显的行书元素。

失純然

去溫若

第 11 课　结构练习三

知识要点：

《张黑女墓志》给人的第一感觉就是外形规整。确实，该墓志将部分字形统一在一些几何形内，以正梯形和倒梯形为常见。有些字极力强化其正梯形外形，但更多的是极力趋向倒梯形；有些字在我们习惯性写法中是方形，而此墓志却处理成倒梯形，当然也有倒梯形的却处理成为方形，但又很协调，这样使得该墓志中的字既规整，又别具匠心。

“白”通常为倒梯形，即两竖下收，此处却为方形。“皇”通常为正梯形，底横很长，此处将底横缩短，上面横折之横很长，左右两竖下收很多，使字形呈明显的倒梯形，这种处理的字在墓志中最多，是一大特点。“周”通常为正梯形，此处为方形，主要是将左竖撇处理为直竖。“春”强化了撇捺伸展幅度，使字的底部异常宽阔。“書”通常横折下一横最长，余横却短，字形大约就呈上宽下窄的倒梯形，但此处将日上面的横处理为最长，这个字就变成上窄下宽的正梯形了。其他如本课中“作”、“門”、“感”、“星”、“澤”等字均作了特殊的处理，显得个性十足！

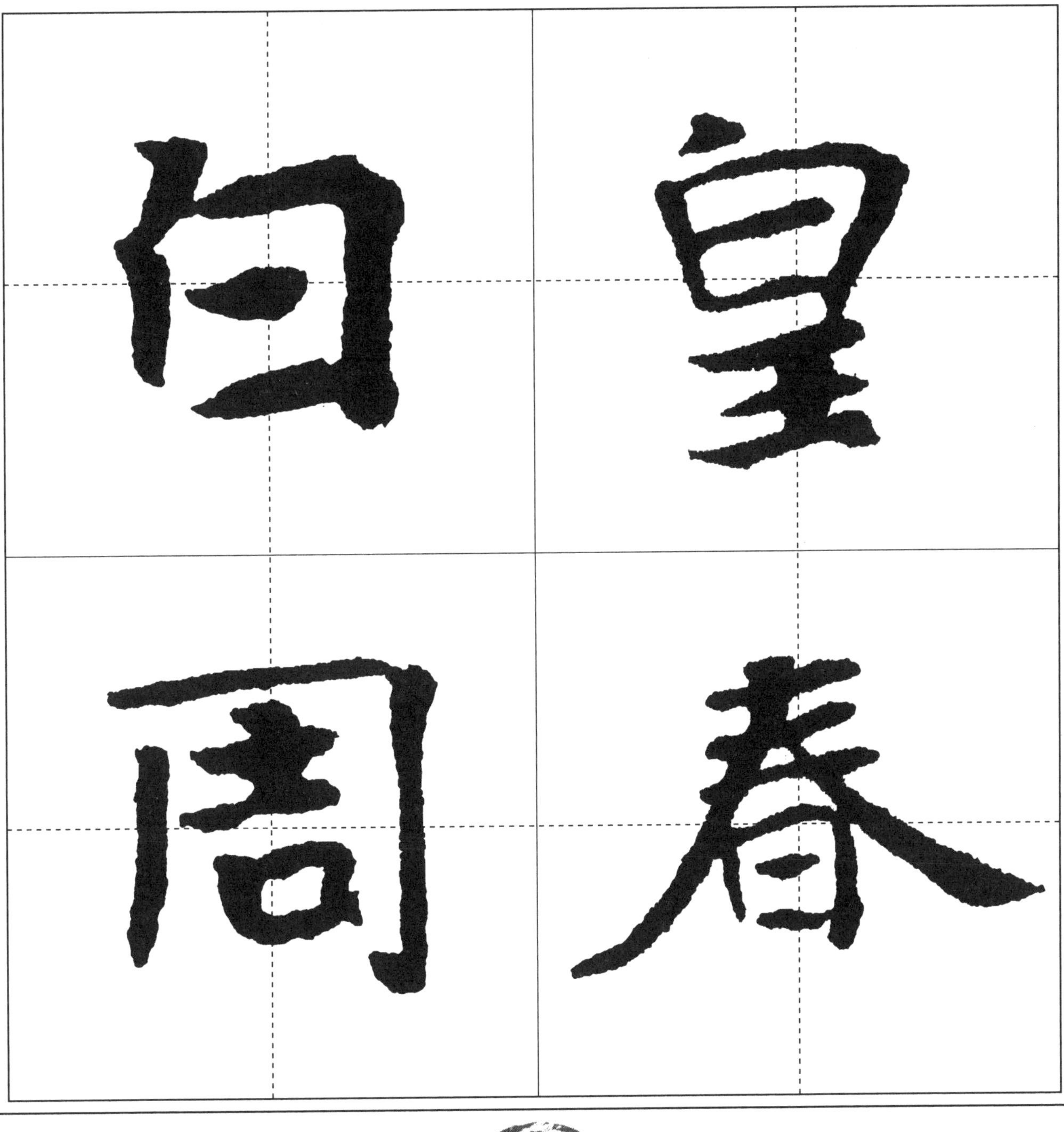

作 感 澤

書 門 星

第 12 课　结构练习四

知识要点：

《张黑女墓志》中还有些字，第一笔为斜点或横点，但这一点极圆重，且与下横交叉相融，并与其他笔画形成强烈的对比，这种极具墨韵的写法在其他北碑中少有，甚至南帖中皆不多见，如“無”、“高”、“空”、“玄”等。除点的这种效果特别突出外，本墓志在稳重质朴、阴柔秀美的主调下，通篇都浸润着这种写意般的笔情墨趣，无处不透着浪漫的情调，学习者须用心去感受，不要仅停留在表面。

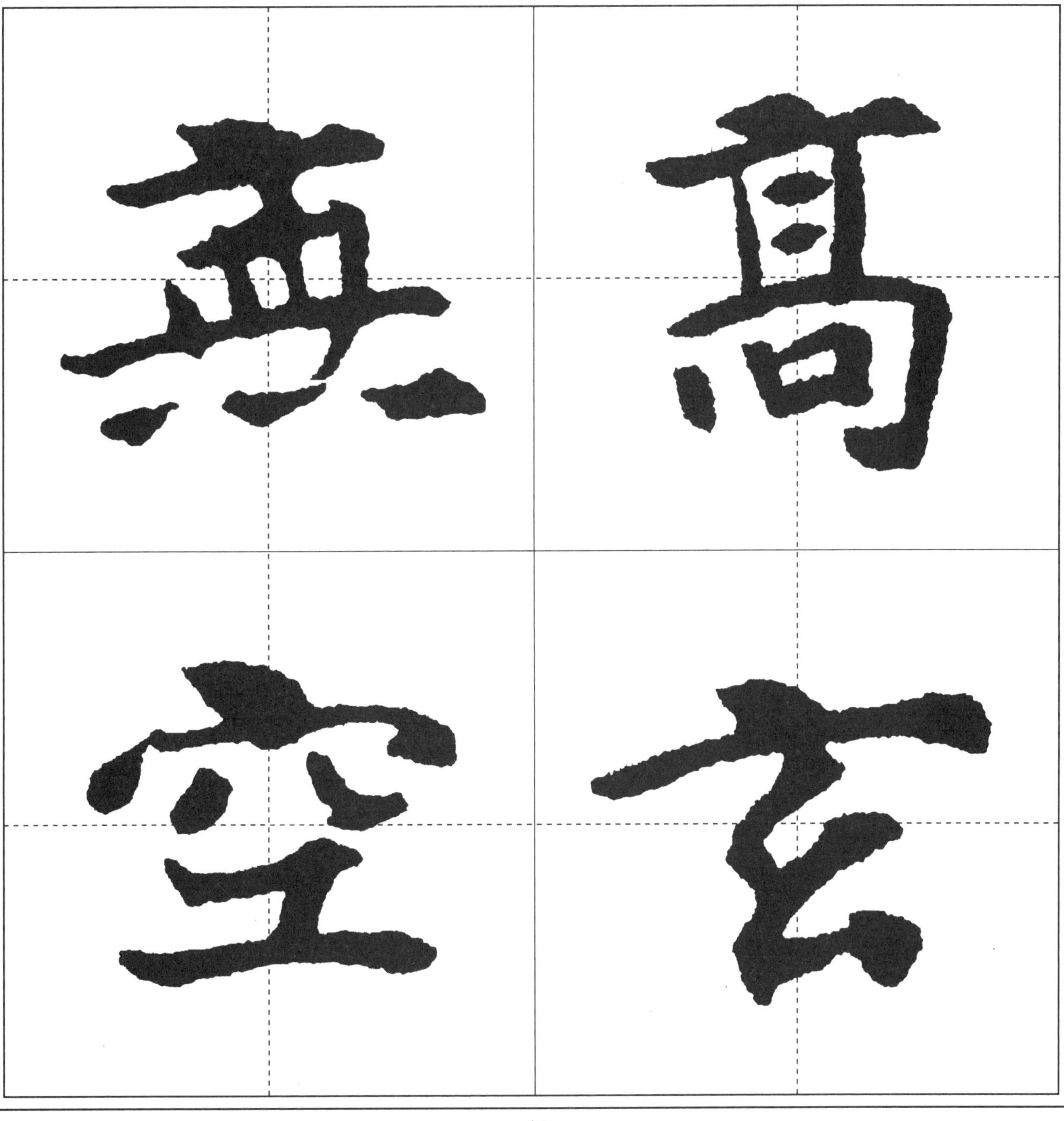

第 13 课　结构练习五

知识要点：

《张黑女墓志》用笔蕴藉灵活，其中一个重要方法是将很多横、竖、撇、挑笔画处理为简洁含蓄的点，这样的处理使其结构显得空灵透气，字的内部空间宽绰，这种处理在小楷中常见，北碑中却是不多见的。

“草”中右上部的一短横和一短斜竖变为圆实厚重的一横点和斜点，中间日中的下两横变为两横点，使线条多变而又对比强烈，字形厚重而空灵。“自”中间两短横变为横点，使框内空间布白发生奇妙的变化。“長”上部三横很短，完全可以看做是横点。“參”中右上侧撇折变为一个左侧点。

第14课　结构练习六

知识要点：

《张黑女墓志》中左右结构的字处理手法多样，并不严格按我们通常所说的法度规范来，但又协调生动，这些处理方式能给我们很多启示。

“何”字中单人旁与可的左半部分结合灵活紧密，似乎竖点是口字中的一部分，而可中的竖钩却独处右侧。“悦”字中上部四点同处一水平线上，而右下部撇与竖弯钩悠然自得，使整个字的底部疏而不空。“明”左边“日”字写作“目”与其说是异体写法，倒不如说是为了左右两边的平衡和规整。“謂”左右两边距离很大，但是右边上部“田”中的左斜竖却和左边上部很紧密，使其上紧下松，上宽而密，下疏而弱，这种结构布白方式该墓志中很常见，应该是其一大特点，如“精”、“猶”、“除”、“陰”等。“環”字中王字旁本属于小偏旁，此墓志中将王字旁（墓志中写作玉）处理得更短，且笔画很粗，与右部产生强烈对比，但看起来又极为协调，加之玉下两横及点正好补入右部左侧的空隙中，相互咬合，使此字更加严谨而生动了。总之，墓志中很多字都独具匠心，限于篇幅，此不一一枚举，还是你自已用心去品味吧！

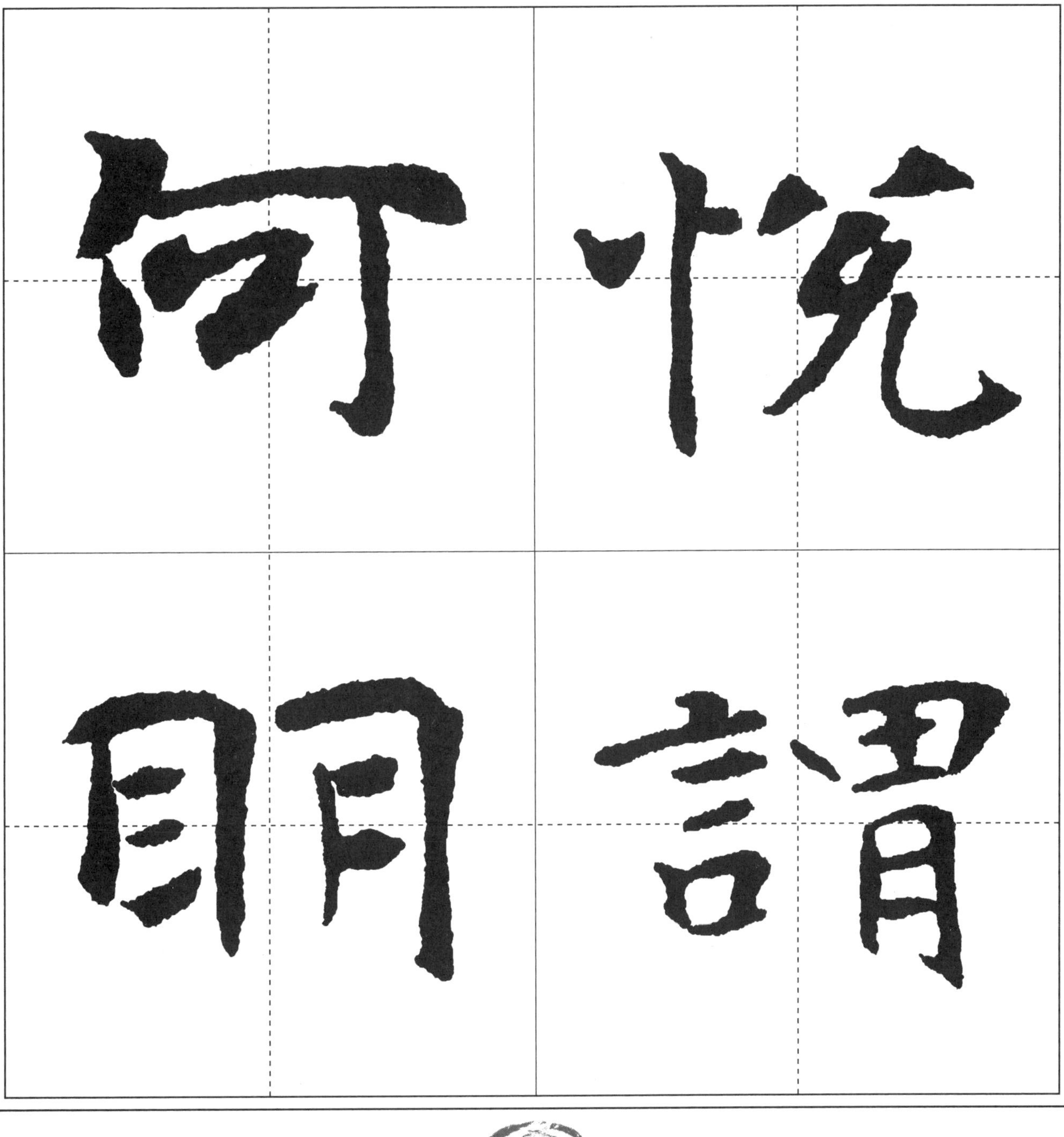

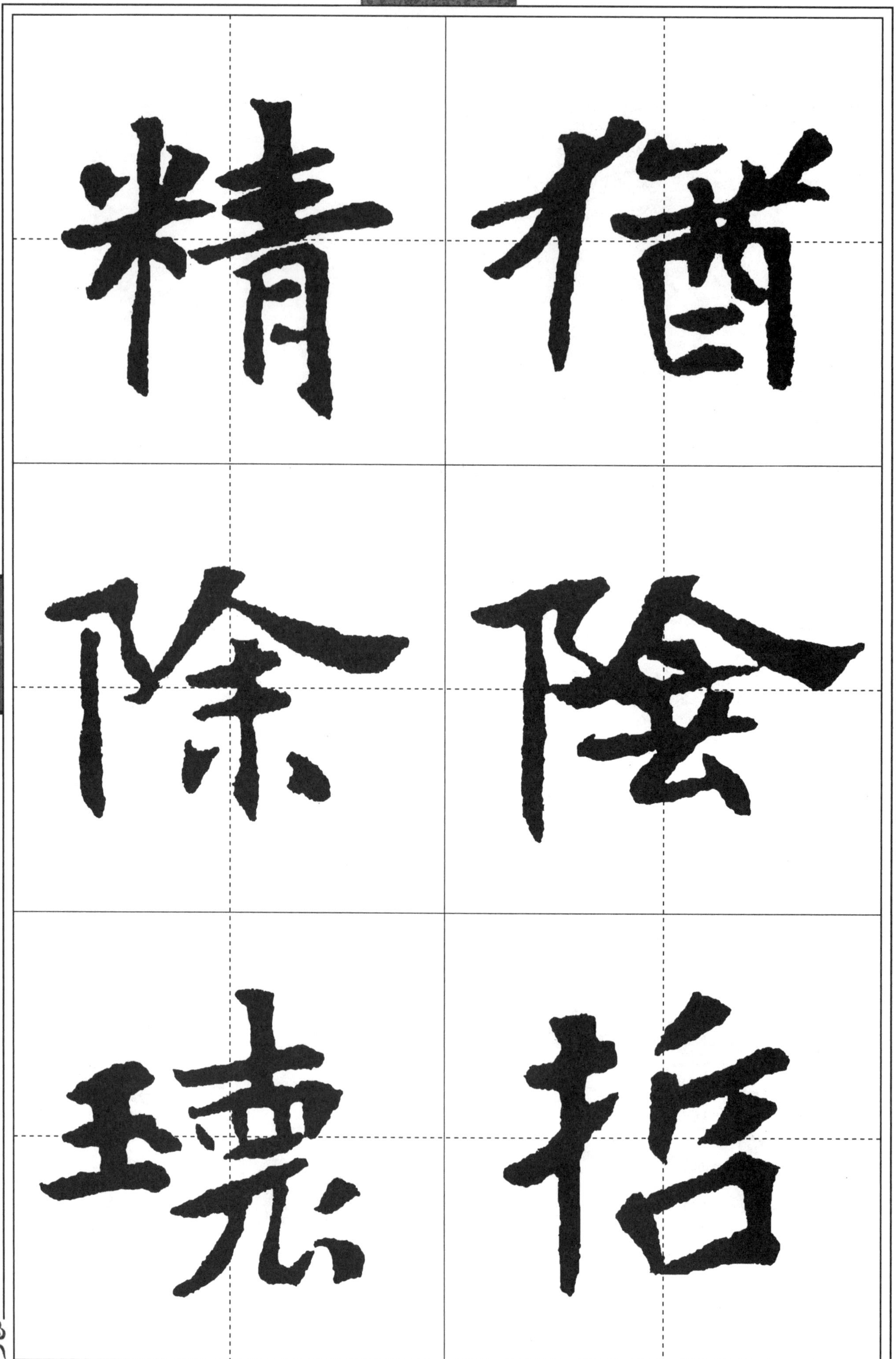

附：张黑女原拓

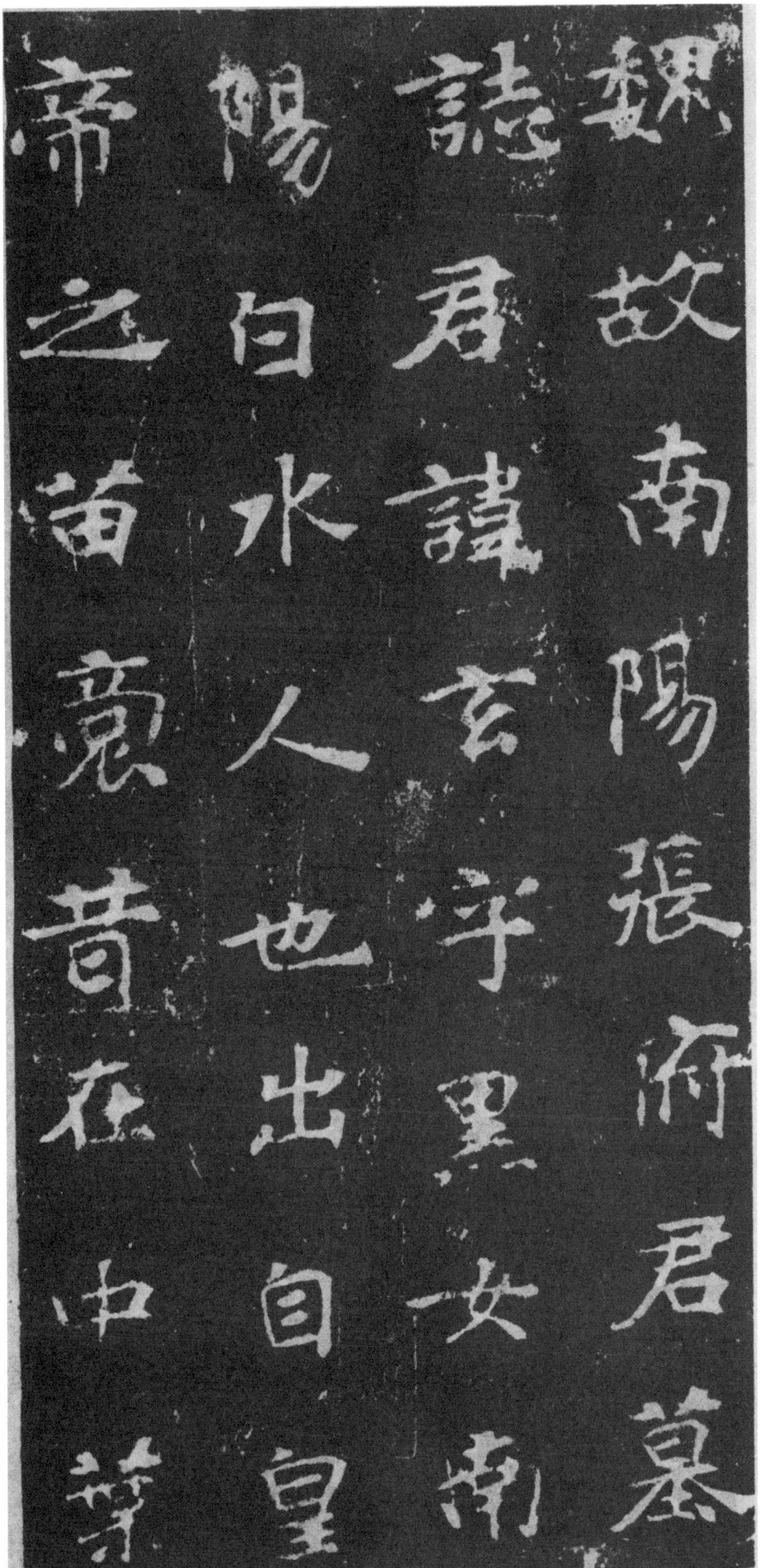
魏故南陽張府君墓
誌君諱玄字黑女南
陽白水人也出自皇
帝之苗裔昔在中葉

作牧周殷爰及漢魏
司徒司空不因舉燭
便自高明無假置水
故以清潔遠祖和吏

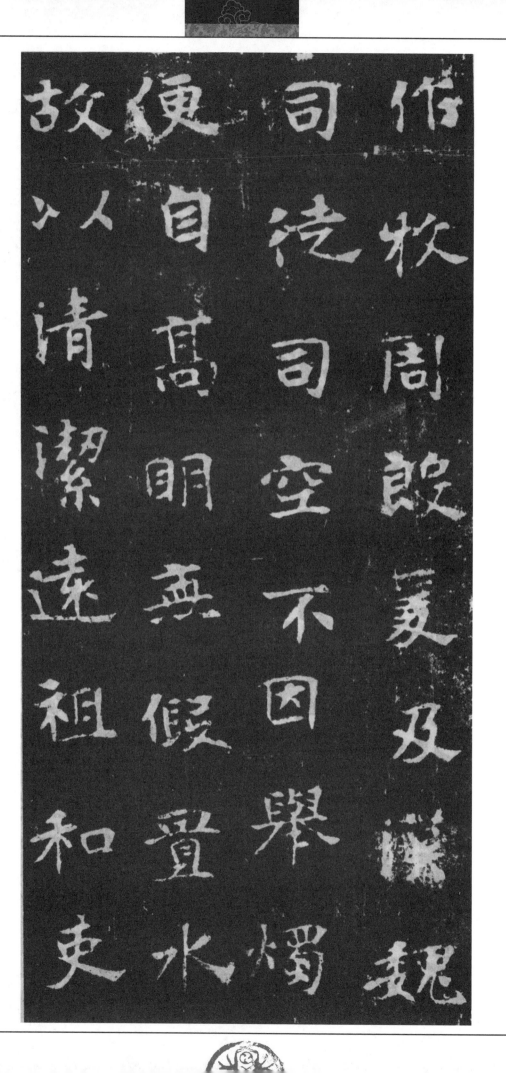

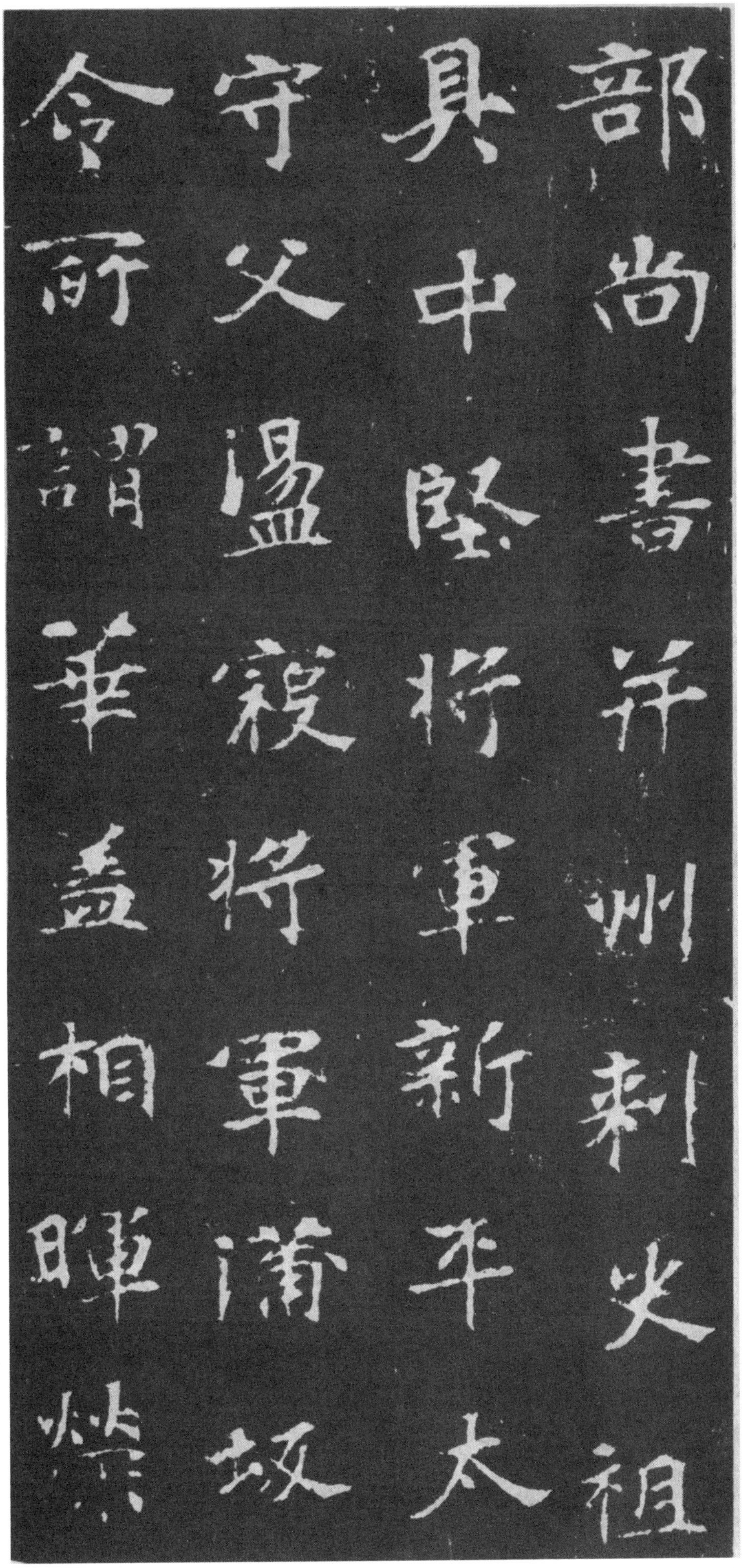
部尚書并州刺史祖
具中堅將軍新平太
守父盪寇將軍蒲坂
令所謂華蓋相暉烋

光照世君稟陰陽之
純精含五行之秀氣
雅性高奇識量沖遠
解褐中書侍郎除南

陽太守巖威。既被其
循草上加風民之悅
化若魚之樂水方欲
羽翼天朝抓乘帝室

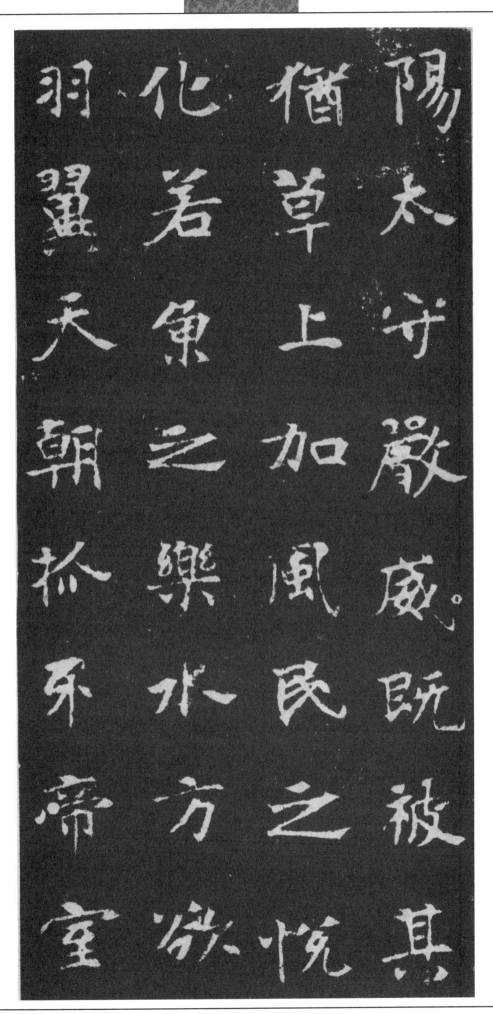

何當幽靈無簡識此
名指春秋卅有二太
和十七年薨於蒲坂
城建中鄉孝義里妻

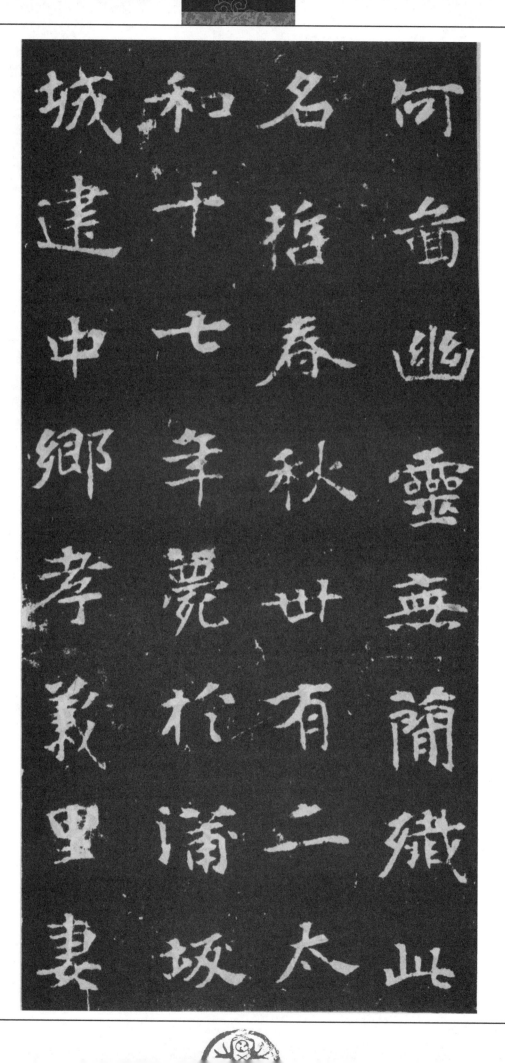

河北陳進壽女壽為
巨祿太守便是瑰寶
琱暎璉玉綵差俱以
普泰元年歲次辛亥

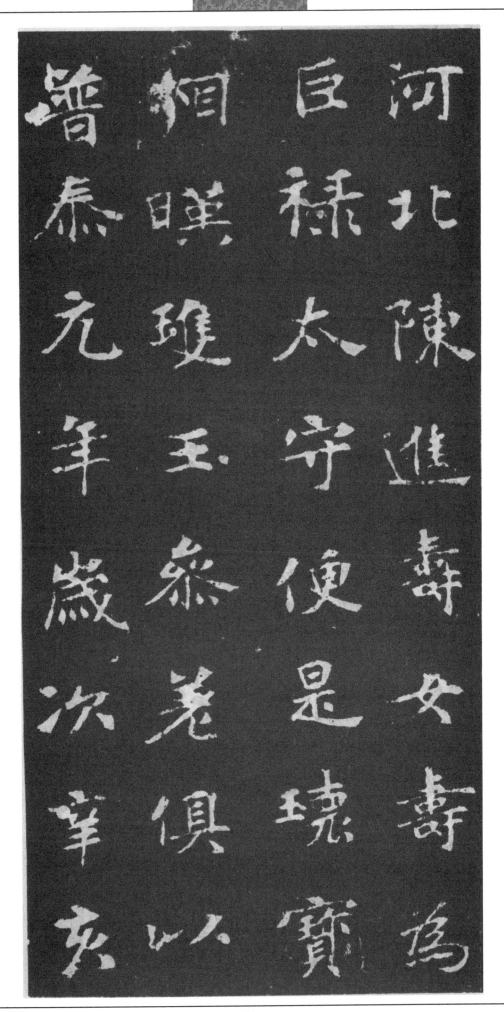

九月丁酉朔一日丁
酉葬於蒲坂城東原
之上君臨終清悟神
識端明動言成軌泯

然去世于時兆人同
悲遐方悽長泣故刊
石傳光以作誦曰
[illegible]美蘭胄茂乎芳幹

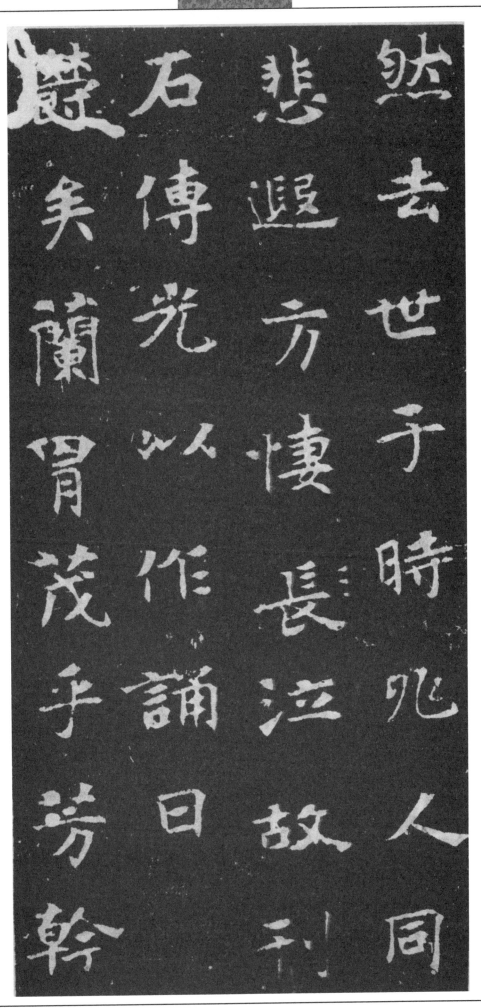

氣暎胄衡根通海翰
休氣貫岳榮光接漢
德与風翔澤從雨散
運謝星馳時流迁速

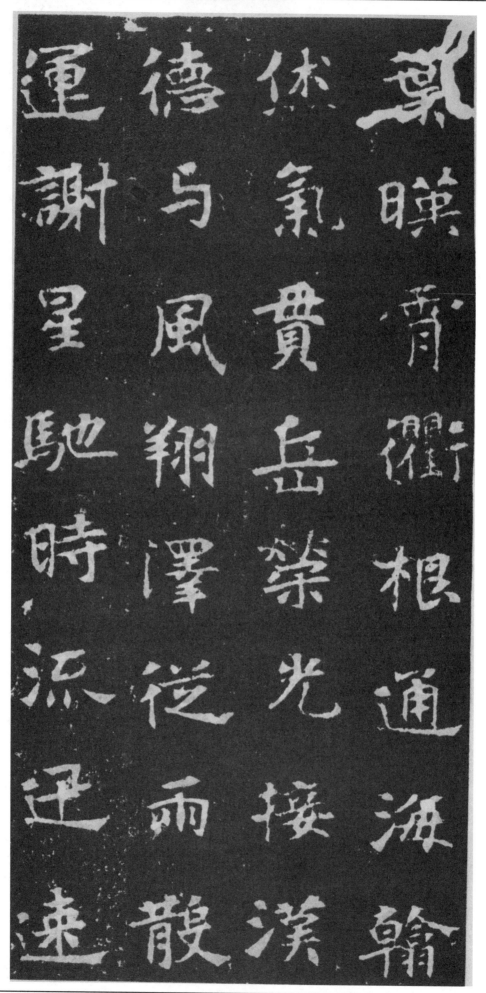

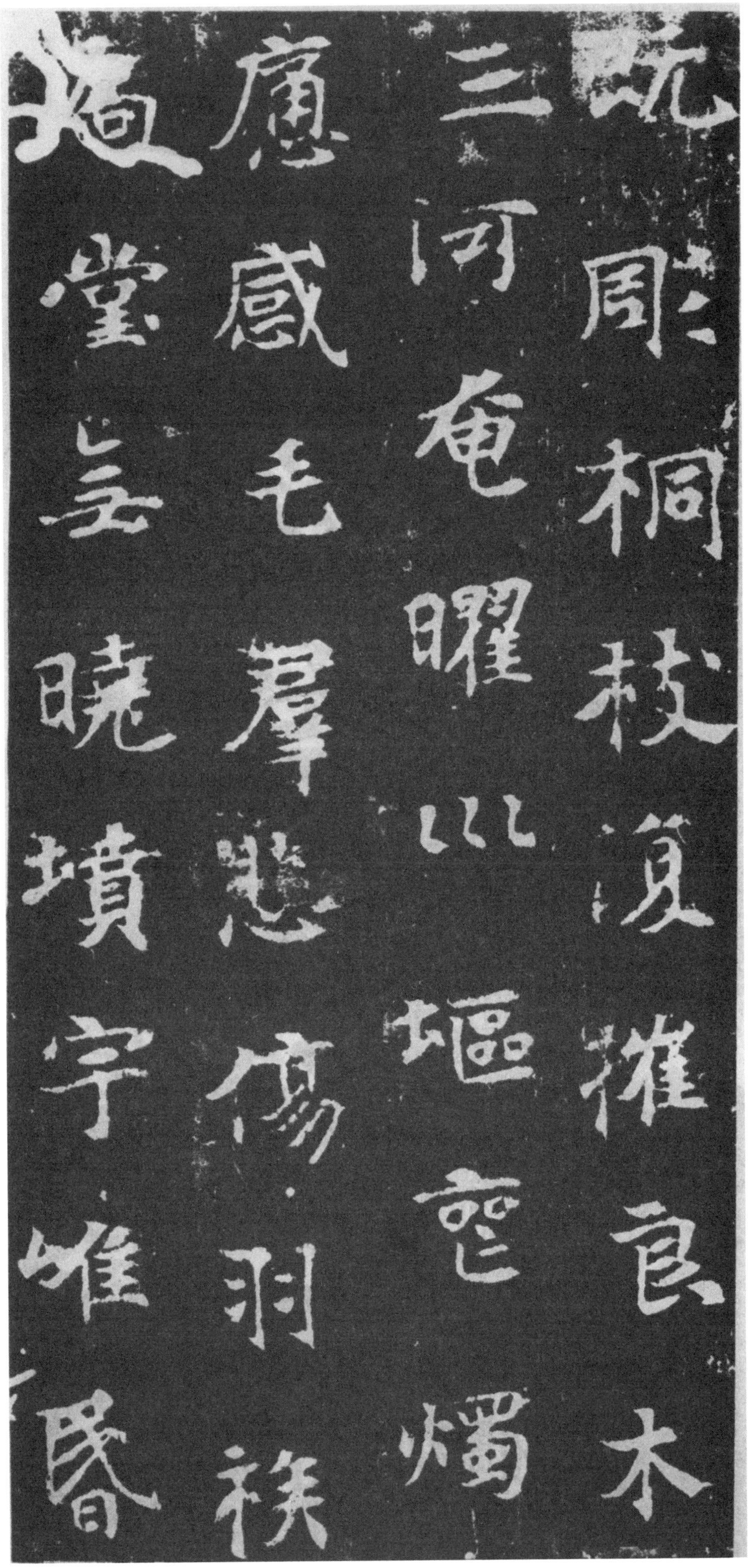
既彫桐枝復摧良木
三河奄曜以塸咢燭
應感毛羣悲傷羽儀
道堂云曉墳宇唯昏

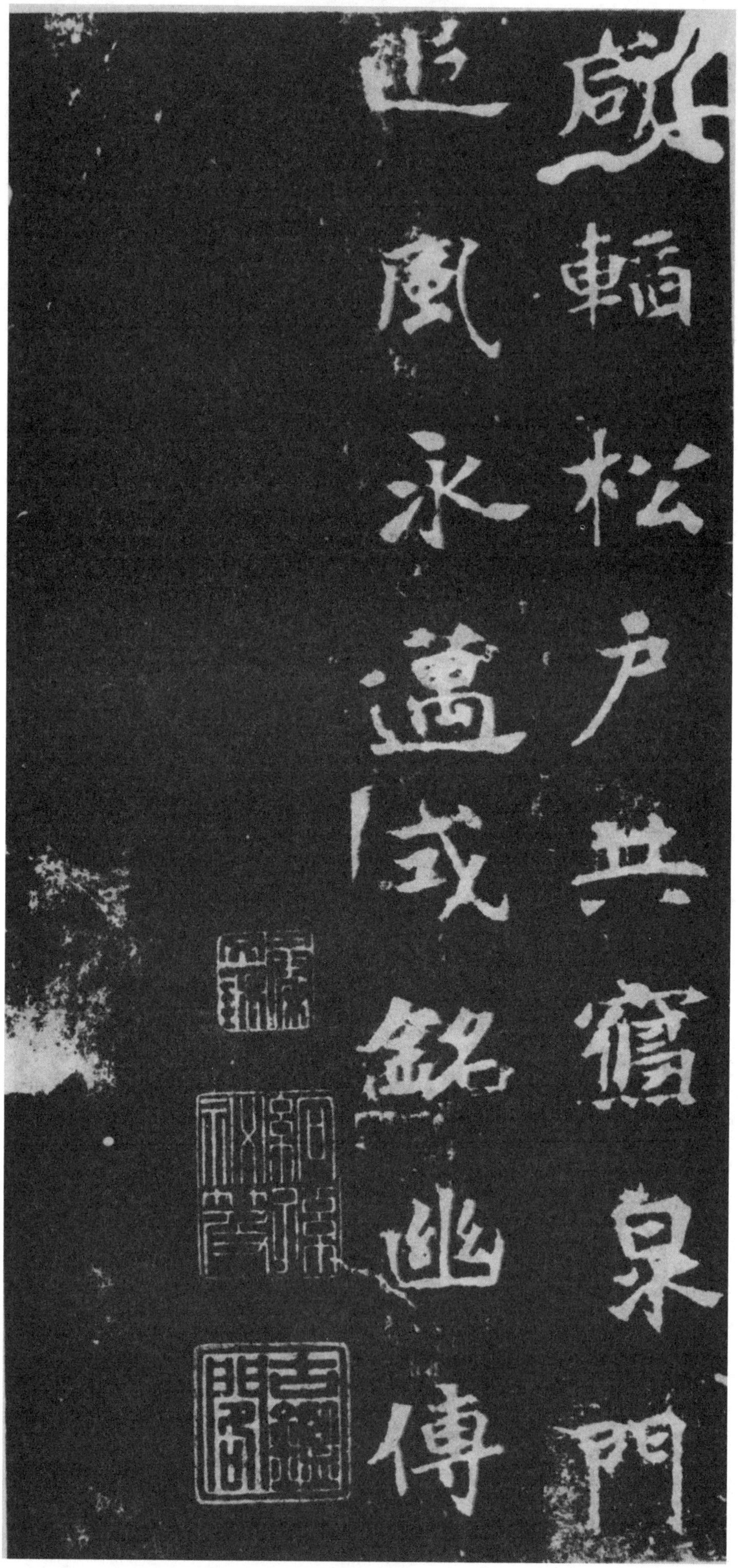
歛輀松户共窮泉門
道風永邁成銘幽傳